Geração de Valor

2

CB016140

FLÁVIO AUGUSTO DA SILVA

Geração de Valor **2**

PLANTANDO SONHOS, COLHENDO CONQUISTAS

edição: Anderson Cavalcante
coordenação editorial: Virginie Leite
preparo de originais: Taís Monteiro
revisão: Hermínia Totti e Juliana Souza
capa, projeto gráfico, diagramação e ilustrações
(exceto as listadas abaixo): Pater

imagens de miolo: Shutterstock: p. 34 – Lisovskaya Natalia; p. 50, 51 –
Yanugkelid; p. 65 – Aerogondo2; p. 70, 71 – Stokkete; p. 72 – Mau Horng
e Mama_mia; p. 76, 77 - oasis15; Noun Project: p. 82, 83 – BravesBro,
Cezary Lopacinski, Nathan Driskell, MikaDo Nguyen, Emily Haasch; p.
108, 109 – TashaNatasha; p. 123 – Julia Henze; p. 130, 131 – Sheftsoff
Women Girls; p. 132 - Aleks Melnik; p. 140 - Ollyy; p. 145 – Ella1977;
p. 149 – GlebStock e Leszek Glasner; p. 150 – Holbox; p. 159 – Dja65;
p. 162, 163 – Everett Collection; p. 164 – Siberia; p. 168 – Dwori e Dan
Kosmayer; p. 177 - andreiuc88; p. 197 - Vitaly Korovin e Tim UR;
p. 205 – Luisa Leal; p. 206 – B. Melo

Impressão: RR Donnelley

Dados Internacionais de Catalogação na Publicação (CIP)
de acordo com ISBD

S586g Silva, Flávio Augusto da
        Geração de valor 2 : plantando sonhos,
        colhendo conquistas/
        Flávio Augusto da Silva. - 2. ed.
        São Paulo : Buzz, 2019.

        208 p.: il.; 16 x 23 cm.

        ISBN: 978-65-80435-36-4

        1. Autoajuda. 2. Sonhos. 3. Conquistas
        I. Título.
        2019-2284   CDD 158.1
                               CDU 159.947

        Elaborado por Vagner Rodolfo da Silva - CRB-8/9410
        Índice para catálogo sistemático:
        Autoajuda 158.1
        Autoajuda 159.947

Todos os direitos reservados à:
Buzz Editora Ltda.
Avenida Paulista, 726, Mezanino
Cep. 01310-100 São Paulo - SP

[55 11] 4301-6421
contato@buzzeditora.com.br
www.buzzeditora.com.br

Dedico este livro às pessoas que saem todos os dias de manhã para construírem o seu futuro, àqueles que superam suas adversidades e mantêm-se firmes em busca de seus sonhos.

Apresentação

Depois de décadas sendo adestradas dentro da escola e da universidade a fim de conseguirem ser contratadas por uma empresa pública ou privada, é provável que muitas pessoas achem bastante difícil abrir mão das premissas e crenças adquiridas ao longo de todo esse tempo. Não é à toa que muita gente vê o caminho do empreendimento com medo e desconfiança. Afinal, durante toda a vida, elas não foram treinadas para isso e talvez não tenham nem sequer pensado nessa possibilidade.

Não é por acaso que muitos empreendedores bem-sucedidos, ricos e com uma ampla e aguçada visão de negócios têm em seu currículo uma escolaridade baixa. Ao mesmo tempo, também não é incomum vermos profissionais formados e especializados trabalhando justamente para esses empreendedores.

Estes últimos apostaram todas as fichas no sistema de formal ensino como meio de ter uma vida melhor no futuro, e de fato muitos alcançam este objetivo. Já os primeiros apostaram suas fichas em estudar, pesquisar e aprender por conta própria para empreender como meio de alcançar uma vida muito acima da média.

Meu objetivo não é que esta reflexão desestimule ninguém a se dedicar à vida acadêmica, mas sim provocar uma reflexão corajosa sobre outros meios de vida. Eu, por exemplo, estudo muito todos os dias, mas raramente através das vias formais. Por outro lado, tenho em meu ciclo de relacionamento outros empreendedores muito bem-sucedidos que frequentaram as salas de aulas das melhores universidades do mundo.

A diferença não está na capacidade ou inteligência de cada um, mas na visão de mundo que a pessoa desenvolveu ao longo da vida, através das experiências e dos conhecimentos adquiridos ao longo do caminho.

Os que foram criados dentro do sistema de ensino formal aprenderam a viver dentro de uma gaiola corporativa, comendo a porção de alpiste colocada no pratinho todo mês. Como eles só conheceram esse modelo de vida, acreditam que não há escolha e, por isso, têm muito medo de bater asas e voar. Assim, continuam ali dentro, conformando-se cada vez mais com planos menores e bem diferentes daqueles que um dia sonharam.

Já os que decidiram aprender por conta própria também passaram pelo sistema formal de ensino, mas sentiram que aquele enquadramento não fazia seus olhos brilharem. Então, mesmo que o sistema não tivesse outra alternativa para lhes apresentar, questionaram o modelo preestabelecido e começaram a nutrir ambições maiores em vez de simplesmente seguirem o fluxo. Ainda que sua escolha fosse muito arriscada, uma vez que fora da gaiola corporativa eles não poderiam contar com a porção mensal de alpiste todo mês e seriam obrigados a caçar todos os dias, aprenderam a viver assim, pois gostam da liberdade e não se assustam com os perigos. Para eles, a estagnação é uma ameaça muito maior do que qualquer perigo que possam ter que enfrentar.

Eu sei que a metáfora é dura, mas é assim mesmo que vou conduzir os textos deste livro: sempre de maneira bem direta e assertiva, algumas vezes de forma desafiadora, outras vezes com um tom mais encorajador, mas sempre produzindo grandes questionamentos sobre o mundo que nos cerca e suas práticas raramente discutidas pelas grandes massas. Não quero ofender ninguém ao apresentar uma perspectiva perturbadora e tampouco quero dizer que uma pessoa seja melhor do que outra por estar dentro ou fora de uma gaiola, seja ela qual for. No entanto, quero levar cada leitor a refletir sobre o mundo que lhe foi apresentado. Mais do que isso, meu desejo é desafiá-lo e encorajá-lo a perseguir os seus sonhos, mesmo que isso pareça uma loucura aos olhos dos que seguem o fluxo. Aliás, qualquer aventura fora da gaiola sempre parecerá uma loucura aos olhos de quem só conheceu a vida dentro dela.

A mensagem central deste livro é: questione o mundo. Você tem escolha, mesmo que ela jamais lhe tenha sido apresentada e que o mundo inteiro tente transformá-lo em um a mais na multidão, seguindo padrões em que muitas vezes você nunca viu sentido.

VOCÊ TEM ESCOLHA

A pílula azul | A pílula vermelha

Depois que escolher, sua vida nunca mais será a mesma, seja dentro ou fora da MATRIX.

Se você quiser estar mais conectado comigo mesmo enquanto lê este livro, acesse os canais a seguir, nos quais produzo conteúdo diariamente.

facebook.com/geracaodevalor
instagram.com/geracaodevalor
twitter.com/geracaodevalor
youtube.com/geracaodevalor
meuSucesso.com

Boa leitura!
Flávio Augusto

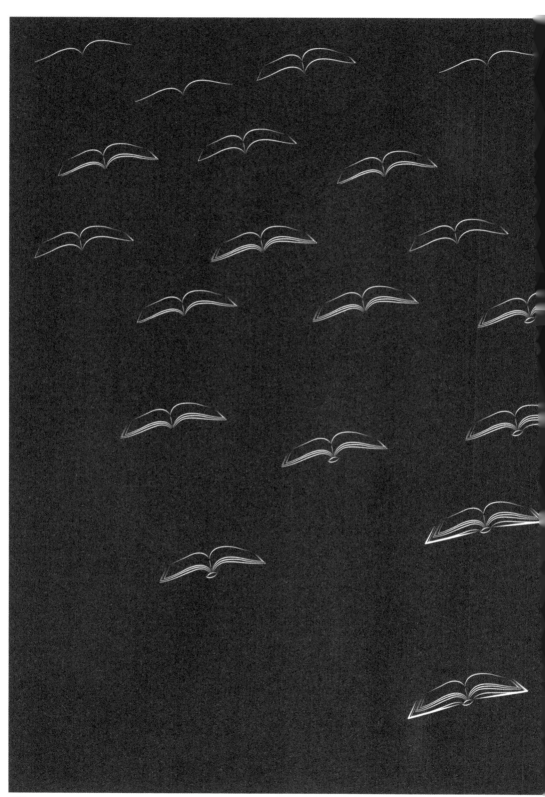

Quando você
escreveu verdade,
eu li berdade.

VOCÊ prefere TER UM EMPREGO ou GERAR EMPREGOS?

Há alguns anos, quando o meu filho do meio tinha 9 anos, ele falou:

— Pai, minha professora disse que, se eu não fizer uma boa faculdade, não vou conseguir arrumar um bom emprego. Isso é verdade?

Respondi com outra pergunta:

— Meu filho, o que você acha melhor: arrumar um bom emprego ou gerar empregos?

Ele me olhou com uma expressão de que achava a resposta muito óbvia.

— Pois é, para gerar empregos você não precisa fazer faculdade nenhuma — completei.

— Então eu não preciso fazer uma faculdade? — perguntou ele, perplexo.

— Não, não precisa — falei. — No entanto, você vai precisar estudar muito mais do que aqueles que fazem uma faculdade, entram numa empresa e começam a gerar empregos. Agora, caso você decida fazer alguma faculdade, eu lhe sugiro que JAMAIS escolha uma presencial, pois se perde muito tempo. Faça uma on-line, porque, estudando nos momentos que você mesmo estabelece, poderá usar o precioso tempo que vai economizar para já começar a construir a própria empresa.

Ele ficou pensativo e disparou, com um leve sorriso irônico:

— Vou falar isso para a minha professora.

— Filho, precisamos respeitar o estilo de vida que cada um escolhe — ponderei. — A maioria das pessoas segue um padrão preestabelecido e, por isso, acredita que fatores exteriores a ela limitaram suas opções, justamente porque não foi capaz de questionar o mundo que lhe foi apresentado. Minha sugestão é que você não diga nada à sua professora, pois ao longo da vida ela com certeza fez escolhas que estavam de acordo com as informações a que teve acesso, dentro do contexto que lhe é familiar. Ela só lhe disse o que considera ser o melhor para o seu bem. Você, por outro lado, está tendo acesso a outros tipos de informação e precisa respeitar as diferenças entre as pessoas com quem vai se relacionar.

Ele entendeu o que eu disse e voltamos a jogar videogame.

OS 10

MOTIVOS MAIS FREQUENTES PARA NÃO TER UM NEGÓCIO PRÓPRIO

TÁ A FIM DE GLAMOUR?

NÃO SEJA EMPREENDEDOR

1. Ter sido treinado, na escola e na universidade, para arrumar um emprego.

2. Ter medo do desconhecido.

3. Não abrir mão da vida corporativa para manter um suposto status, mesmo se sentindo um peixe fora d'água.

4. Desconhecer o sentimento de realização que um empreendedor experimenta ao construir o futuro sem depender de terceiros.

5. Ser desencorajado pela família e pelos amigos que seguem o padrão convencional (faculdade > emprego > aposentadoria).

6. Não buscar as informações necessárias para empreender um negócio por ter a tendência de achar tudo muito complicado.

7. Não ter disposição e iniciativa para apresentar a ideia a quantas pessoas forem necessárias até conseguir capital suficiente para iniciar o negócio.

8. Optar pela estabilidade mesmo ganhando pouco.

9. Convencer-se de que não tem vocação para ser o próprio chefe.

10. Ter mais medo de perder do que vontade de ganhar.

10 DICAS P·A·R·A APROVEITAR SEU TEMPO DE ESTUDANTE DE FORMA INTELIGENTE

O modelo educacional vigente é ultrapassado e repleto de valores contraditórios, distantes da realidade. No entanto, você pode aproveitar o tempo que passa em seu estabelecimento de ensino de forma mais inteligente se seguir estas dicas:

1. Aprenda a escrever bem. Com o avanço da internet, as pessoas assistem cada vez menos à TV, leem menos livros e quase não ouvem mais rádio. As revistas e os jornais impressos entraram em extinção. Com isso, a necessidade de produção de conteúdo on-line cres-

ce todos os dias. Logo, quem souber escrever bem encontrará várias oportunidades de negócios na web. Atualmente há milhares de jovens milionários ao redor do mundo que vivem de produzir conteúdo virtual para blogs, vlogs, cursos on-line, etc.

2. Aprenda a falar em público. Em geral, a escola não estimula essa prática. Na verdade, compreender o novo mundo em que vivemos nem faz parte de sua mentalidade retrógrada. Por isso, ela entope a mente dos alunos com informações que terão muito pouco valor no futuro. Portanto, depende de você aprender a se expressar com clareza na frente de uma plateia. Crie as próprias oportunidades para treinar sua oratória, seja na sala de aula, em um curso de teatro, em eventos diversos ou até em algum movimento que você organize na escola ou na faculdade, fora do horário de aula. Além disso, pesquise sobre o tema na internet para aprender algumas técnicas e exercitá-las.

3. Não se limite à matemática teórica que aprende em sala de aula. Em vez de se limitar às fórmulas intermináveis do ensino tradicional, priorize a aplicação prática que essa matéria pode ter. Pesquise na internet sobre matemática financeira. É muito útil e produtivo entender sobre juros, amortização, financiamentos, bolsa de valores, mercado, etc.

4. Não acredite em tudo o que seu professor de história diz. Não é que ele seja má pessoa. Ele está lhe ensinando

o que sabe. O que quero dizer é que você deve questionar tudo. Não aceite as coisas sem pensar criticamente sobre elas. Se você quiser se aprofundar nos assuntos e chegar às próprias conclusões, não dependa de ninguém. Pesquise você mesmo em fontes confiáveis.

5. Venda produtos em seu estabelecimento de ensino. Vender é uma tarefa básica para a construção de qualquer projeto em seu futuro. Dentro da escola ou da faculdade, há uma grande demanda de material escolar, comida, roupas, relógios, ingressos para shows, etc. Aproveite o contato com inúmeras pessoas que frequentam o estabelecimento de ensino para aprender a gerenciar uma carteira de clientes. Se olharem para você de cara feia ou agirem com preconceito, não ligue. Use isso como estímulo para alcançar o topo.

6. Não tenha vergonha dos seus sonhos. Quando as pessoas perguntam o que você quer ser quando crescer, esperam respostas como médico, advogado, engenheiro, economista... Não fique constrangido quando alguém olhar para você como se estivesse vendo um ET porque você disse que quer mudar o mundo, ser empreendedor, músico, produtor de conteúdo para internet, jogador profissional de videogame, etc. As gerações mais antigas ainda não entenderam o novo mundo em que estamos vivendo. Por isso, se agarram a paradigmas ultrapassados. Respeite a opinião de todos, mas tenha em mente aonde você quer chegar e se orgulhe disso.

7. Não aceite nenhum rótulo sem buscar uma segunda opinião. Por exemplo, hoje em dia a escola, muitas vezes por comodidade, induz ao diagnóstico de TDAH (Transtorno do Déficit de Atenção com Hiperatividade), indicando psicólogos ou psiquiatras que prescrevem Ritalina como se fosse um simples remédio para dor de cabeça. A omissão de muitos pais, aliada à inabilidade da escola em lidar com alunos agitados – expostos a uma quantidade cada vez maior de estímulos eletrônicos – e à forte influência comercial da indústria farmacêutica, faz com que frequentemente diagnostiquem esse transtorno de forma precipitada. Isso é muito grave porque a ritalina vicia a criança, algemando o sistema nervoso central dela, o que é bastante conveniente para a escola por deixar os alunos "obedientes". Por conta do diagnóstico deliberado, o Brasil é o segundo maior consumidor de ritalina. Tem energia demais? Gaste-a com a prática de esportes. Além disso, recomendo procurar a opinião de profissionais que não tenham ligação com a escola para melhor avaliação do caso.

8. Não se deixe contaminar pela negatividade dos outros. O seu professor, por exemplo, pode às vezes chegar à sala de aula sem vontade de transmitir conhecimento. Ele também é vítima do sistema de ensino retrógrado que temos atualmente, então é compreensível que esteja bastante frustrado, mas não entre nessa vibração. Sim, você precisa continuar frequentando as aulas, porque sua presença é obrigatória. É fato que muitas

coisas que aprenderá naquele ambiente não vão ter utilidade prática na sua vida, mas você deve ter um foco claro em tirar proveito do tempo que passa ali. Siga as dicas que dou neste texto. Você é jovem e tem todas as chances de construir o próprio caminho se não se entregar à negatividade que este sistema propicia.

9. Acostume-se a brilhar em um ambiente competitivo. A ideia de que não existe competição e que todos são iguais é papo furado. Ninguém é igual a ninguém. Cada pessoa tem suas particularidades, e no mundo real, fora da bolha utópica de muitas escolas, somente os melhores vão sobreviver e ocupar as posições mais privilegiadas. Portanto, busque dar o máximo em tudo o que faz. Não aceite ficar na média. Média é sinônimo de mediocridade. Mesmo sabendo que as notas pelo seu desempenho não valem nada e que os critérios de avaliação do nosso sistema de ensino é burro e limitado, faça parte do jogo.

10. Entenda que, na vida, o seu valor não será reconhecido pela quantidade de conhecimento que você adquiriu, mas pelo que for capaz de *produzir* com ele. A cada dia na escola, tenha isso em mente. Diplomas pendurados na parede não valem nada. O que você for capaz de produzir, com ou sem diploma, é o que vai valer. O seu futuro já começou, e a sua forma de enxergar o mundo, muito mais do que as coisas que aprendeu em sala de aula, é o que vai lhe ajudar a conquistar todos os seus sonhos. Portanto, pense fora da caixa e não siga a boiada.

NÃO TENHA MEDO DE QUESTIONAR O MUNDO

Ir à escola para simplesmente acumular informações, como é costume no sistema de ensino vigente, em certo sentido é uma perda de tempo. Afinal, nos dias atuais, temos acesso a uma quantidade infinita de dados a apenas um clique de distância.

No entanto, quando adquirimos informações e as colocamos em prática, temos a chance de transformá-las em conhecimento. E o conhecimento, por sua vez, quando exercitado por muito tempo e de forma inteligente, pode se transformar em sabedoria.

A sabedoria tem uma característica interessante. Ela pode ser transmitida por quem a detém, diminuindo o espaço entre o sonho e a realidade dos "discípulos" que a aprendem.

Hoje em dia, é muito comum encontrarmos nas universidades os seguintes tipos: detentores de informação, detentores de conhecimento com autoridade prática sobre determinados assuntos ou sábios?

É importante considerarmos as seguintes questões:

Quanto vale saber apertar os botões certos?

Quanto vale conseguir antever um evento para não ser surpreendido por ele?

Quanto vale saber conquistar e mover as pessoas em direção a melhores resultados?

Quanto vale conhecer as estatísticas do sucesso e saber que para cada número x de nãos você conseguirá um sim, o que lhe fará adotar uma postura tranquila diante do não, passando a encará-lo de uma forma diferente da maioria das pessoas?

Quanto vale saber usar o motor de popa de seu barco (que todos têm, mas não se dão conta disso) e, assim, estar seguro para assumir o controle dele?

Quanto vale ser livre e não depender da ração diária que o sistema tenta lhe convencer de que você precisa?

Por que algumas pessoas estão sempre capengando enquanto outras têm sucesso em todas as suas iniciativas? Será sorte?

Quando aprendi a resposta a cada uma dessas perguntas, conquistei vários bons resultados e, em seguida, passei a formar executivos e empreendedores na empresa que fundei. Hoje, transmito diariamente no GV alguns desses conceitos, que em poucas linhas podem desencadear bons insights em um bom entendedor.

A coisa mais importante que você precisa entender, e que pode ajudá-lo a desenvolver os conhecimentos adquiridos aqui, é que o sucesso é uma ciência exata que todos podem aprender. Não é questão de sorte, sobrenome ou classe social. Também não tem nenhuma relação com a quantidade de diplomas que você tem pendurados na parede.

Deixe as informações para os sites de busca. Extraia conhecimento de quem tem autoridade e coloque-o em prática a fim de transformá-lo em sabedoria seguindo o exemplo dos que já são bem-sucedidos por terem seguido esse caminho. Não se iluda pelo carisma ou por um bom papo. Isso pode lhe poupar algumas decepções e acelerar seu processo de evolução.

Reflita com carinho sobre isso se tiver coragem de questionar o mundo que lhe apresentaram.

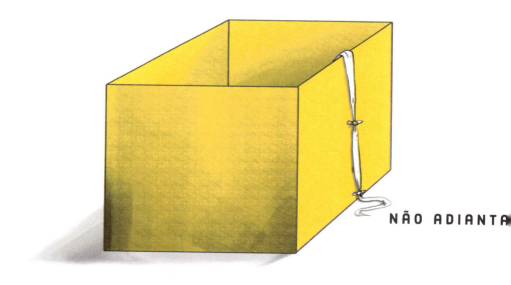

NÃO ADIANTA

AIR DA CAIXINHA SE ELA NÃO SAIR DE VOCÊ.

Todas as vezes que você se dá ao luxo de ficar de saco cheio e desiste de continuar a lutar pelo que quer, uma parte de seu futuro que você jamais vai conhecer imediatamente morre.

Se eu tivesse perdido a perseverança em todos os momentos difíceis nos últimos vinte anos, hoje não estaria colhendo tantos frutos preciosos.

A regra é clara: colhemos somente aquilo que plantamos.

Pare de

MIMIMI

E VÁ LUTAR

PELOS SEUS

sonhos

Você gasta tudo o que ganha? Se continuar assim, não passará de um pagador de contas pelo resto da vida.

Faça a si mesmo a seguinte pergunta: quanto de dinheiro devo ter para ganhar, apenas com o rendimento desse capital, o mesmo que ganharia trabalhando 44 horas semanais?

Pois é, se você conseguir juntar esse valor, terá conquistado sua independência financeira. Ou seja, não precisará mais trabalhar.

Nunca pensou nisso?

Sim, você tem um preço. O preço de sua liberdade financeira, que só é alcançado com planejamento, e não com você consumindo 100% do seu salário, transformando-se num pagador de contas.

Quem conquista a liberdade financeira passa a trabalhar não mais porque precisa, mas sim por prazer, ou para construir o próprio projeto de vida.

Se você acha isso impossível, saiba que está enganado. Quando você não trabalha nesse sentido ou nem sequer tem um planejamento para alcançar essa meta, é porque se acostumou a ser um escravo do sistema consumista e a correr atrás do próprio rabo.

Achou duro o que falei? Desculpe a sinceridade, mas dura é essa vida de escravo. Então pare de mimimi e pense nisso, trabalhe por isso e construa a sua independência financeira.

QUANDO VOCÊ DESISTE DO SEU SONHO, MUITA GENTE SAI PERDENDO.

o seu PRINCIPAL EMPREENDIMENTO é a sua VIDA

O SEU VALOR ESTÁ NO QUE VOCÊ TEM

- Ganhar dinheiro não é pecado.
- A pobreza não é uma virtude.
- Você não vale pelo que tem.
- Você tem pelo que vale.
- Você vale pelo que é.
- O mundo não é justo.
- Para conseguir superar as barreiras, você precisa de inteligência e esforço.
- O sucesso é uma ciência exata que todos podem aprender.
- O vitimismo afasta você dos seus sonhos.
- Se outras pessoas conseguiram, você também pode.
- Não é fácil, mas é possível.
- Aprenda com quem sabe fazer.
- Aumente o patamar dos seus sonhos.
- Tempos de crise também são tempos de oportunidade.
- Nunca subestime sua capacidade.
- Uma pessoa só tem o poder de colocá-lo para baixo se você permitir.
- Quem nasce pobre só continuará pobre de acordo com as suas escolhas.
- O crime não compensa.
- Não desanime porque seus governantes são corruptos.

Quero contar aqui no GV a sua história de sucesso.

LÍDER

- Enquanto o chefe impõe, o líder conquista.

- Enquanto o chefe atrai puxa-sacos e interesseiros, o líder atrai seguidores voluntários.

- Enquanto o chefe é truculento, o líder surpreende pela paciência.

- Enquanto o chefe visa somente os números, o líder inspira aqueles que fazem os números ficarem em segundo plano.

- O chefe encerra o assunto. O líder argumenta com inteligência.

- O chefe segue a pauta da reunião. O líder é sensível para alterar o roteiro quando necessário.

- O chefe não reconhece o valor de outros líderes. O líder é humilde para aprender com quem provou seu valor com resultados.

- O chefe alcança resultados limitados. O líder faz crescer sem limites tudo aquilo em que coloca as mãos.

Não tem um líder? Seja você esse líder.

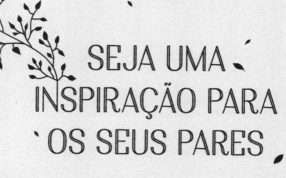

SEJA UMA INSPIRAÇÃO PARA OS SEUS PARES

Não deixe o fato de ter nascido pobre impedi-lo de correr atrás dos seus sonhos. Há muitas pessoas na mesma situação que estão vencendo. Da mesma forma, existe um monte de gente que nasce com todos os privilégios e não chega a lugar algum.

Também não permita que o preconceito por você ser negro ou homossexual o faça parar de lutar. Continue dando duro para construir uma história de sucesso.

Quando conseguir, use todas as dificuldades que você precisou ultrapassar por ser pobre, negro ou homosse-xual como incentivo para os que precisam de força para enfrentá-las. Sua superação e sua vitória serão a prova viva de que, sim, é possível.

Levantar a bandeira do "é possível" é muito mais digno do que a bandeira do "eu sou uma vítima".

Suas vitórias são o maior estímulo para os seus se-melhantes, enquanto o seu vitimismo é um péssimo exemplo para eles e só serve a grupos políticos que transformam a sua suposta desgraça em votos.

Força! Eu sei que não é fácil, mas é possível. Isso precisa ser dito e provado na prática através de suas vitórias.

Faça isso. As próximas gerações agradecerão.

Seja forte, AINDA QUE ESTEJA FRACO.

COMECE PEQUENO. SONHE GRANDE

MANTENHA O SEU CUSTO DE VIDA BAIXO, PRIO-
RIZANDO A AMPLIAÇÃO DE SEU CAPITAL, E NÃO SE
ACOMODE QUANDO AS PRIMEIRAS CONQUISTAS
CHEGAREM. É NESSE MOMENTO QUE O JOGO
COMEÇARÁ PARA VOCÊ.

PERCA O MEDO DO NÃO

O tamanho da sua vontade de vencer pode ser medido pela quantidade de nãos que você suporta até chegar a seu objetivo.

Usando uma metáfora esportiva, o melhor lutador de boxe não é necessariamente aquele que bate mais, mas sim o que recebe melhor os golpes, sem cair.

Não pense que os desafios são exclusividade da sua vida. Todos os que desejam chegar mais longe têm um caminho repleto deles pela frente. Então por que apenas algumas pessoas conseguem superá-los? Porque a maioria se dá ao luxo de desistir e por isso acaba beijando a lona antes do fim da luta.

H Á   P E S S O A S   Q U E:

Dão risada quando você apresenta sua ideia.

No dia em que você resolve implementá-la, criticam.

Depois de seu sucesso, se perguntam: "Mas como?"

Em seguida, tentam imitá-la.

Quando fracassam, dizem que você teve sorte.

Algumas vão admirá-lo. Outras vão se corroer de inveja. Uma parte vai querer aprender com você. Outra vai dizer que você é burguês.

Depois de alcançar o topo, você vai chegar a algumas conclusões:

- Vale a pena não seguir a boiada.

- A sociedade é hipócrita.

- As pessoas que o chamam de burguês são invejosas e gostariam de estar no seu lugar.

- Só vale a pena ajudar quem quer ser ajudado.

- Uma única pessoa que reconhece a ajuda compensa todas as outras que foram ingratas.

- Compartilhar a fórmula do seu sucesso vale a pena.

- Nada justifica o fracasso de sua família. Não é necessário escolher entre ela e o trabalho. Dê conta dos dois.

- Dinheiro é muito bom, mas é menos importante do que as pessoas imaginam.

- Não vale a pena viver em função do que os outros pensam de você.

- Se possível, evite a fama.

- Tente simplificar a vida.

- Se existe algo em que vale a pena gastar seu dinheiro, é em viagens com a família.

- Dê um jeito de gastar sempre menos do que ganha. Coloque o dinheiro em seu devido lugar. Ele deve trabalhar para você e jamais o contrário.

‏‏‎ ‎

෴

Sem assumir a responsabilidade
por tudo o que acontece em sua
vida não há crescimento. Preste
atenção: responsabilidade não
é culpa.

Líderes pensam assim: Nem sempre
sou culpado, mas sou sempre
responsável.

Esse pensamento muda
drasticamente nossa forma de
lidar com os desafios diários e a
maneira como essa mentalidade
influencia nossos resultados.

QUANTO MAIOR O DESAFIO,
MAIOR A CONQUISTA.

Toda vez que alguém falar "Aproveite, é uma oportuni-dade única por tempo limitado", DESCONFIE.

Não permita que sua fraqueza ou impulsividade seja manipulada por ilusões desse tipo. Qualquer oportuni-dade que não resista a 48 horas de reflexão está mais para uma "oportunidade dispensável".

Esse é o princípio básico para você assumir o controle de suas finanças e acumular capital em vez de se endi-vidar ou embarcar em canoas furadas.

SEJA UM INCONFORMADO E MUDE O MUNDO

Hoje uma pessoa tentou me convencer de que não conseguia cumprir seus objetivos por falta de tempo. Lembrei, então, de uma frase bem antiga do GV: "Se falta de tempo realmente fosse uma justificativa para não tirar os planos do papel, somente os desocupados teriam sucesso."

Enquanto um monte de gente coleciona desculpas para não sair do lugar e prefere acreditar no mundinho que lhe apresentaram, um novo mundo continua sendo construído pelos inconformados e por aqueles que não medem esforços para mudar a própria história.

Quem é GV já escolheu de que grupo deseja fazer parte.

NÃO SAIA DE CASA SEM ELA

A ESPERANÇA é o resultado de um conjunto de convicções relacionadas ao futuro que, juntas, têm um enorme poder de influenciar a maneira como você vive o presente.

Quando sua esperança está em alta, até a maneira como você lida com os problemas cotidianos muda. Você os enxerga como provisórios, pois seus olhos e expectativas estão no futuro.

Por outro lado, quando ela está em baixa, até mesmo pequenos percalços passam a ser considerados insuportáveis. Os dias ficam cinzentos, o humor azeda, as piadas perdem a graça e as dúvidas tomam quase todo o espaço.

Quer roubar a alegria de uma população? Roube sua esperança. Sem acreditar no futuro, sobram apenas o medo, a insegurança e o estresse. Aliás, este é um cenário clássico onde o medo definitivamente venceu a esperança.

Como resgatar sua esperança no meio do caos? Exercite o futuro e planeje como você pode chegar lá, dividindo o seu plano de ação em tarefas diárias.

Criar projetos alimenta sua esperança. Sejam projetos pessoais, como ter um filho, casar-se, treinar para
participar de uma maratona, etc. Projetos profissionais também podem ocupar o seu tempo com o objetivo de conquistar um futuro melhor.

A esperança mora no futuro, mas seu
poder é capaz de colorir o seu presente.

A esperança racional evita ilusões
e desilusões. Use com moderação.

A esperança é um antidepressivo
natural. Não saia de casa sem ela.

Pra sair da gaiola
você precisa ter
coragem pra voar.

TRANSFORME O
DESAFIO
EM MOTIVAÇÃO

O sabor da conquista compensa toda a dedicação, o esforço e os riscos assumidos. Compensa momentos de solidão, quando se esperava apoio. Compensa momentos de incerteza, quando se esperava uma palavra de incentivo. Compensa todo o desprezo, quando se esperava um voto de confiança.

O sabor da conquista supera em muito o preço pago, é recompensador e maior do que a expectativa.

Só sentem esse delicioso gosto as pessoas que passam pelo plantio de suas sementes com um sorriso nos lábios, com fé no futuro e com a certeza de que cada dificuldade é transitória. Assim, transformam cada desafio em motivação, cada desprezo em incentivo e cada deboche em encorajamento.

São elas que vão desfrutar do sabor inconfundível da vitória. Gente que não perde a fé e jamais mergulha no vitimismo.

Você é do tipo que fica satisfeito com qualquer coisa? Fique tranquilo, a vida vai lhe dar qualquer coisa.

O que você busca é apenas sobreviver? Ok, isso não é tão difícil. Você vai conseguir.

Mas, se quiser o melhor, trabalhe por nada menos que isso, sem planos B. Assim terá alguma possibilidade de conquistar o melhor.

O que define o destino de cada um é, em grande medida, a mentalidade.

Uma mentalidade medíocre gera resultados medíocres, enquanto uma mentalidade vitoriosa atrai chances maiores de conquistar objetivos acima da média. A razão é simples: a mente vencedora persegue incansavelmente os meios para alcançar suas metas. Sem essa disposição, restam apenas desculpas esfarrapadas, coitadismos, vitimismos e falta de iniciativa.

Onde a mentalidade medíocre encontra campo fértil para aflorar? No sistema de ensino tradicional, na religião mecanizada, nas rodas de bar, nos discursos de campanhas eleitorais, na programação televisiva, nas redes sociais... A mentalidade medíocre está em toda parte, porque desde cedo a maioria das pessoas é ensinada na escola que o bom é estar na média. MEDIOcridade é estar na média.

Onde podemos desenvolver uma mentalidade vitoriosa? Ou melhor, COM QUEM podemos aprender a desenvolvê-la? Com as pessoas bem-sucedidas, que não seguiram as massas, não ficaram apenas na teoria e corajosamente colocaram seu conhecimento em prática.

Só é possível aprender a ter uma mentalidade vitoriosa com os vencedores. No lugar mais alto do pódio não existe espaço para teorias vazias e discursos baratos. O passaporte para chegar a esse lugar que poucos alcançam são os resultados concretos, e não diplomas pendurados na parede.

Algumas pessoas me perguntam: "Mas, Flávio, como faço para me aproximar dessas pessoas vitoriosas? Em geral elas são inacessíveis." É simples: hoje em dia, com o advento da tecnologia, você pode ter acesso ao que elas pensam através de materiais autobiográficos disponíveis on-line. Pode, também, ver como se comportam e como lidam com as adversidades por meio de conteúdos que produzem nas redes sociais. Nenhuma outra geração teve a oportunidade que você está tendo.

Para se ter uma ideia, darei um exemplo: para ganhar 1 milhão de reais em um ano, trabalhando de forma honesta, são necessários apenas 30 mil reais de capital inicial em praticamente qualquer cidade do Brasil. Com esse investimento, é possível iniciar um pequeno projeto empresarial e crescer ao longo do tempo. Não importa o produto ou serviço. Isso é secundário. O que é fundamental, e que eu tento transmitir através dos meus textos, é a convicção de que é possível. Eu coloco essa certeza em prática através de meus empreendimentos. Aí está o valor que poucas pessoas conseguem alcançar, tratando-o como se fosse uma teoria sensacionalista.

O conhecimento que transmito diariamente em meus textos e vídeos está permeado dessa convicção que contraria o modelo medíocre que a sociedade em que vivemos apresenta aos jovens, condicionando-os a resultados pífios e fazendo-os achar isso normal. Antes de tudo, é preciso sair da conformidade. Sem isso, você não vai conseguir mudar nada.

A prova do que estou dizendo é que desde que fundei o GV, em 2011, vendi uma empresa que tinha fundado havia dezoito anos por cerca de 1 bilhão de reais (em 2013) e, de lá para cá, em menos de dois anos, comprei outra empresa nos Estados Unidos que já vale mais do que aquela primeira que vendi. Além disso, outras companhias que fundei depois disso também já decolaram. Essa é a diferença entre uma mente vitoriosa e uma mente medíocre.

Não sou filósofo, teórico nem autor de autoajuda. Sou um empresário que saiu do zero e que não se conforma em desfrutar apenas do que já conquistou (o que também seria legítimo). Ninguém vai me convencer de que não pode fazer o mesmo. Mas, para isso acontecer, a pessoa precisa se livrar do pensamento tóxico, medíocre e requentado difundido pela sociedade e aceito de forma passiva pela maioria dos jovens.

Como eu não me canso de repetir, o sucesso é uma ciência exata que todos podem aprender. Aprender primeiro a SER, para depois FAZER e, por consequência, TER.

Meu sonho é transmitir esta certeza para cada vez mais pessoas. Muitas já estão correndo atrás e colhendo resultados, mas infelizmente ainda há outras tantas que não conseguem se desvencilhar da boiada, entorpecidas pela ilusão da estabilidade. Essas desperdiçam o próprio potencial, usando os textos do GV apenas como entretenimento, deixando o seu cérebro cada vez mais obeso. Sim, o conhecimento não colocado em prática é informação inútil e produz obesidade cerebral. O que falta a elas é apenas apetite e disposição para usar o conteúdo como combustível para transformar os seus sonhos em realidade.

Há mais de quatro anos eu lhe envio diariamente, através dos meus canais de comunicação, mensagens de sucesso. O que quero em troca? Apenas a certeza de que você quer transformar a sua vida assim como transformei a minha. Essa é minha maneira de retribuir ao mundo um pouco do que aprendi.

Eu não sou melhor do que você. Então por que não descobrir que o mundo é muito mais do que aquilo que lhe foi apresentado?

MELHOR QUE SABER aproveitar oPORTUNIDADES É SABER CRIÁ-LAS

OBSERVAÇÃO E
QUESTIONAMENTO

São essas as táticas utilizadas por um empreendedor na hora de farejar e identificar novas oportunidades.

Toda vez que surge um novo cenário econômico ou político, por exemplo, quando o país é assolado por mudanças, as cartas do jogo são novamente distribuídas.

Às vezes, junto com essas mudanças vêm a insegurança, a falta de esperança e confiança, a fadiga, a violência urbana.

Cada um desses problemas precisa de uma solução. A propósito, empreender é criar soluções. Portanto observe, questione e pergunte a si mesmo: "Como posso resolver esses problemas?"

Em outras palavras, que produto ou serviço você pode desenvolver para dar conta das novas demandas? Como pode ajudar as pessoas a se sentirem mais seguras, encorajadas, renovadas?

Questione mais e lamente-se menos.

Mesmo em tempos de crise, novos talentos são revelados.

Problema
POR QUE TUDO DÁ ERRADO PRA GENTE?
TEMOS UM PROBLEMÃO.
Oportunidade

PROBLEMA

SOLUÇÃO

EM VEZ DE SE PREOCUPAR,
OCUPE-SE EM RESOLVER.

Seja o Protagonista da sua vida

Cada vez que eu converso com empreendedores de sucesso, mais tenho a certeza de que eles não são necessariamente os mais preparados em termos técnicos, os que fizeram mais pesquisas de mercado ou os que dominam todas as etapas dos processos da própria empresa.

O que todos eles têm em comum são as seguintes características:

- Coragem.
- Disciplina extrema.
- Foco em resultados.
- Obsessão pela excelência de seus produtos ou serviços.
- Maturidade para se beneficiar das críticas.
- Capacidade de idealização.
- Capacidade de liderança.

Nos últimos anos, conheci desde empreendedores bem-sucedidos que tinham cursado apenas até o quinto ano do ensino fundamental até os que abandona

SUA VIDA TÁ NO PALCO, NÃO FIQUE NA PLATEIA.

a faculdade no meio. Em todos aqueles que começaram do zero, percebi uma determinação muito acima da média para vencer as adversidades. Todos eles, sem exceção, acreditaram ser protagonistas das próprias vidas, e não vítimas das circunstâncias.

Mas esse padrão de pensamento e de comportamento não é privilégio de qualquer um. Não é por acaso que apenas uma minoria chega ao topo.

E a cada ano que passa, parece que a mediocridade cresce a olhos vistos e que o senso comum vem dominando mais e mais a mente dos jovens brasileiros.

Isso só valoriza ainda mais as conquistas dos que se atrevem a nadar contra a corrente, a não seguir o fluxo e a abandonar a boiada que marcha em direção ao matadouro da mediocridade.

Essa é a mentalidade GV.

Eduque o seu filho
APESAR DA ESCOLA

Será que faz sentido gastarmos tanto tempo de nossa vida na escola memorizando a tabela periódica, conhecendo conceitos profundos de análise sintática, decorando nomes de rios, montanhas e cidades da China, dentre outras informações que esqueceremos logo depois da famigerada prova?

A maior contradição, porém, não é utilizar esse tempo para acumular tais informações sob o ultrapassado pretexto da importância dos conhecimentos gerais, mas não aproveitá-lo para estudar as coisas que teriam utilidade prática em nosso dia a dia.

Na minha opinião, até o final do ensino médio todos os alunos deveriam aprender sobre os seguintes assuntos:

• Direito do consumidor. Conhecer os próprios direitos não deve ser exclusividade dos advogados. Um cidadão que sabe sobre seus direitos não será ludibriado e se tornará um regulador orgânico das práticas utilizadas no mercado.

• Educação financeira. Saber administrar o próprio dinheiro é fundamental, assim como saber investir os próprios recursos e conseguir se conter diante dos instintos consumistas. É um assunto que deveria começar a ser abordado já no jardim de infância.

• Primeiros socorros. Conhecer ao menos o básico sobre o assunto pode salvar muitas vidas a qualquer momento e em qualquer lugar.

• Oratória. Falar em público é um fantasma para muitas pessoas, mas não deveria ser assim. Expressar-se na frente de uma plateia requer treinamento, com técnicas e prática. É uma habilidade que não se adquire apenas em eventuais apresentações de trabalhos.

• Inteligência emocional. Grande parte da população é refém de sua ansiedade e de suas fragilidades ao lidar com os problemas inevitáveis da vida. Desenvolver mecanismos e ferramentas de gestão das emoções, portanto, é fundamental para se tornar um profissional bem-sucedido, e um pai ou mãe equilibrado.

• Produtividade. Por que países como a Alemanha têm carga de trabalho menor que a brasileira e produzem mais? Não é por acaso. Há processos inteligentes, cultura produtiva e foco envolvidos desde o princípio no sistema educativo desses lugares.

• Assistência social. A consciência social é algo que pode ser ensinado desde cedo. Cargas horárias a serem cumpridas com trabalhos voluntários em programas sociais – em comunidades carentes, hospitais, asilos, etc. – deveriam fazer parte da formação dos jovens brasileiros.

Nossa sociedade seria muito melhor se, em vez de aprisionarmos nossas crianças enfileiradas em salas fechadas para receberem de forma passiva um conteúdo vindo de um professor muitas vezes desmotivado, optássemos por transmitir-lhes temas mais relacionados ao nosso estilo de vida atual.

Fico impressionado com a quantidade de pessoas que ainda se agarram ao modelo falido de ensino e o defendem, acreditando que escola é sinônimo de educação. Assim, um dos principais papéis de um pai é educar o filho apesar da escola, apesar dos meios de comunicação e apesar do senso comum que alimenta esse sistema medíocre.

E, se o seu pai não o educou dessa forma, saiba que agora o responsável por sua educação é você mesmo, não uma escola ou uma universidade. Não delegue essa responsabilidade a ninguém.

Estude muito, mas não necessariamente pelas vias formais, porque essas são superficiais e muitas vezes fora da realidade.

Patrícia mudou seu
status para:  Ocupada.

Curta a vida real.

Aumente a sua sorte e seja bem-sucedido

Certa vez um GV me perguntou se eu acreditava em sorte.

Respondi que sorte é uma questão de estatística. Para ganhar na Mega-Sena, por exemplo, você tem uma chance entre milhões. Nesse caso, sou um azarado convicto, já que nunca ganhei nem uma rifa sequer.

Agora, no mundo dos negócios, de certa forma a sorte também é uma questão de estatística, só que as chances variam de acordo com a sua visão, coragem, competência, experiência, perseverança, liderança, inovação, etc.

Para desenvolver essas características, são necessários dedicação e trabalho. Quanto mais eu trabalhar, mais chances terei de desenvolvê-las e, portanto, de ser bem-sucedido. Logo, quanto mais trabalho, mais sorte tenho.

Sinceramente, não sei se ele ficou triste ou feliz com a minha resposta.

Você pode trabalhar. Que sorte, hein?

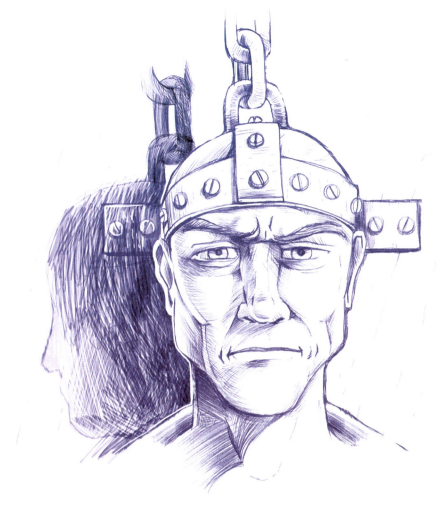

PRA SE LIBERTAR VOCÊ PRECISA DE PARAFUSOS A MENOS.

Sempre que sou chamado de louco, fico pulando de alegria. \o/ \o/ \o/

Como tem gente que acha loucura não seguir o fluxo da boiada, quando passo muito tempo sem ouvir esse elogio, procuro logo saber onde estou errando.

QUER TROCAR DE PROJETO?

{ FAÇA ISSO QUANDO
ELE ESTIVER EM ALTA }

Infelizmente, a lógica da boiada é oposta. Vemos essa inversão conceitual todos os dias na Bolsa de Valores, quando as pessoas compram ações quando elas estão subindo e as vendem quando estão em baixa. É o chamado "efeito manada".

Ao contrário do que muita gente pensa, o momento certo de vendê-las é quando estão em alta, para gerar lucro. Já quando estão em baixa, deve-se considerar a hipótese de comprá-las.

Quando vendi a primeira empresa que fundei, ela estava em franco crescimento. Algumas pessoas me perguntaram por que problema a companhia estava passando para eu ter tomado essa decisão. Na realidade, estava claro para mim que eu já havia cumprido a minha missão naquele projeto e que havia chegado a hora de usufruir os lucros obtidos em sua criação. E, como a empresa estava em alta, foi o momento ideal para vendê-la.

Muitas pessoas deixam para procurar um novo emprego apenas quando são demitidas. Se tivessem ficado atentas a novas oportunidades quando estavam bem colocadas no mercado, poderiam ter recebido convites promissores para novos desafios.

Esse modo de agir vai contra a acomodação de quem acredita numa estabilidade que não existe. Infelizmente, às vezes essas pessoas descobrem isso da forma mais dura, recebendo uma surra inesperada da vida.

Devemos, então, entender de uma vez por todas que as adversidades podem se apresentar a qualquer momento, e elas certamente virão. Por isso, a hora de mudar é quando você está por cima, em uma posição confortável para negociar a entrada em um novo projeto.

O QUI OCÊ CHAMA DE CUME, EU CHAMO DE CUMEÇO.

PRONTO, PARA

Ninguém pede licença para matar um inimigo numa guerra. Esta frase parece estranha e violenta, mas quando entendemos que para sair do anonimato e conquistar o sucesso em nossos projetos, o que ocorre desde o primeiro dia até que esse objetivo se concretize pode ser considerado uma verdadeira guerra, então chegaremos à conclusão de que a abordagem é bastante adequada.

Não espere que o sucesso aconteça de forma orgânica. Numa guerra, isso não é possível. Ele precisa ser arrancado, parido, conquistado bravamente em pequenas batalhas diárias que incluem pessoas duvidando de você – inclusive aquelas que você achava que o apoiariam –, amigos sabotando suas ideias, vontade de desistir todos os dias, falta de dinheiro, de visão, ônibus cheios, cobradores de dívidas, arrependimentos, acusações do tipo "eu sabia que não daria certo", incertezas, pressão e muitos questionamentos como "Será que vale a pena deixar o meu salário para correr atrás de um sonho?".

Trafegar nesse território exige valores éticos muito sólidos. Apesar de ser uma guerra, não há espaço para o "vale-tudo". Na hora da pressão, os que têm princípios menos consolidados porque deixaram a ética de lado destroem sua credibilidade e colocam o pouco que conquistaram a perder.

A GUERRA?

Nesta guerra, o campo de batalha é a sua mente, onde convicções são disfarçadas de incertezas num piscar de olhos e a segurança no projeto transforma-se em dúvida cruel, provocando questionamentos existenciais profundos e uma vontade incontrolável de jogar tudo para o alto e desistir. Porém, subitamente, a lembrança de seus motivos e de suas aspirações por conquistas pessoais legítimas tem o poder de ressuscitar a esperança, renovando suas forças para seguir adiante.

Por mais que eu tente expressar com clareza, minhas palavras são insuficientes para retratar as ambiguidades dessa guerra e todos os paradoxos existentes em nossa mente que precisam ser superados a fim de sairmos vitoriosos de cada batalha. Não é por acaso que esse cenário assusta as grandes multidões, que preferem ficar em locais considerados mais seguros e longe das trocas de tiro. É verdade, elas não são atingidas por balas e explosões nem terão seus corpos mortos estendidos pelo chão, porém jamais viverão com a liberdade com a qual sempre sonharam.

Por isso, se você saiu de casa para a guerra, saiba que deve para lutar, avançar, conquistar e vencer o inimigo.

Quem é o inimigo? Você.

E quem é o seu maior aliado? Também é você.

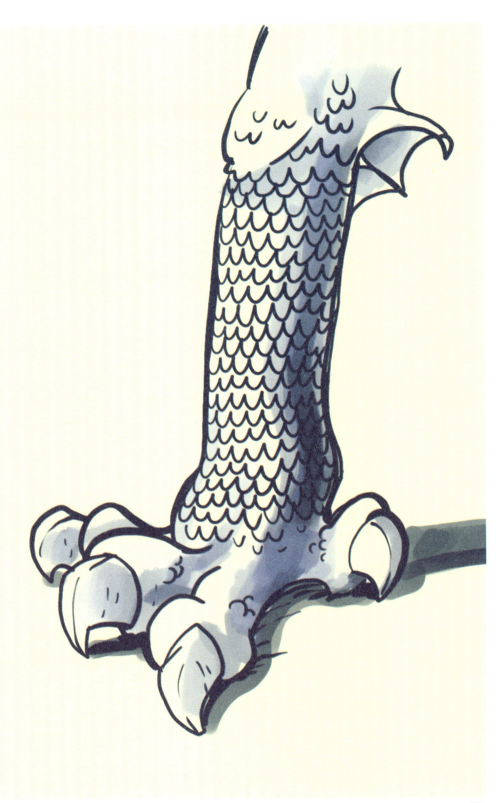

NÃO É FATALISMO. É LÓGICA MATEMÁTICA.

Uma história de sucesso não se constrói da noite para o dia.

Não se constrói sem algumas noites sem dormir.

Também não se constrói sem despertar inveja em algumas pessoas.

Uma história de sucesso não se constrói sem contrariar os céticos.

Não se constrói sem combater os oportunistas que tentam tirar o que é seu.

Além disso, não se constrói sem sacrifícios em alguns momentos.

Uma história de sucesso não se constrói de forma natural e orgânica. É luta, é pau, é pedra, é o fim de um ciclo para iniciar um novo. É ruptura.

Toda história de sucesso começou com uma decisão corajosa.

Começou com riscos assumidos.

Deixou algumas pessoas descrentes e com pena de quem estava tentando algo novo, anunciando seu fracasso.

As histórias de sucesso são muito parecidas.

Apresentam uma espécie de padrão.

Padrão mental, de atitude e de perseverança.

Os atores mudam, mas os roteiros são parecidíssimos.

As histórias de fracasso e estagnação também são muito parecidas. Geralmente seguem o fluxo, o padrão, e não poderiam apresentar resultados diferentes.

As histórias de sucesso seguem um padrão mental adotado por poucos. Logo, os resultados alcançados também são atingidos por parte dessa minoria. É assim desde que o mundo é mundo.

Tudo muda o tempo todo. Só não é da noite para o dia. Estabilidade não existe. Isso é uma ótima notícia.

SEJA UM Desajustado
E ENTREGUE-SE À AVENTURA DA VIDA

A opção mais comum que o sistema convencional no qual se baseia nossa sociedade nos oferece, através de uma linha de montagem padronizada, é a seguinte: 12 anos na sala de aula, entre o ensino fundamental e o ensino médio, mais quatro ou cinco anos na universidade, para em seguida procurarmos um emprego e comprarmos uma casa financiada por trinta anos, onde passaremos o resto da vida.

Mas há as pessoas que conseguem se tornar bem-sucedidas fora desse modelo: atletas, artistas plásticos, músicos, atores, modelos, cantores, sacerdotes, políticos, filantropos, blogueiros ou empreendedores.

No entanto, quando alguém se atreve a querer sair dessa linha de montagem, é taxado de vagabundo, preguiçoso, iludido e até coisas piores.

Por que isso acontece? Porque tudo o que desafia as convenções costuma chocar as mentes cristalizadas por décadas. A maioria das pessoas se sente mais segura dentro do fluxo padronizado das grandes massas.

A VIDA PODE SER MAIS QUE ISSO.

Quando esses "desajustados" que se atrevem a pensar fora da caixa alcançam o sucesso, porém, são chamados de gênios, visionários, exceções à regra. Essa é uma forma de os retrógrados e medrosos não darem o braço a torcer e, quem sabe, evitar que outros se "contaminem" com esse "mau exemplo" e se transformem em "rebeldes" também.

O tempo passa, mas nossa sociedade medíocre continua se comportando dessa forma, sendo seduzida por ideias relacionadas a segurança, estabilidade e privilégios do governo. Talvez por isso, em vez de compreender que a aventura da vida não apresenta garantias, muita gente crie artifícios imaginários nos quais podem apoiar suas inseguranças. Só que essa atitude é tão inútil quanto se agarrar à cadeira do avião quando ele já está caindo.

Felizmente, porém, ainda há muito espaço e muitas oportunidades para os que ousam se aventurar fora do padrão e da coreografia robótica ensinada nas escolas e universidades.

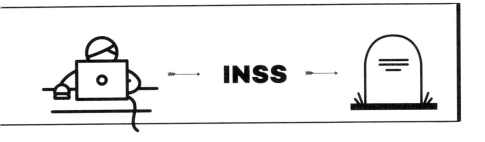

saI Ba VENDER O·S·E·U PRODUTO

Não importa qual seja o produto ou serviço que você quer vender, ele só precisa ser de boa qualidade e ser gerido corretamente. O seu crescimento e o de sua empresa não encontrarão limites se você dominar os oito degraus seguintes na área de vendas:

- Aprender a vender de forma sistemática e consistente.
- Ensinar e treinar novos vendedores.
- Liderar equipes.
- Formar novos gerentes.
- Transformar gerentes em líderes.
- Integrar gerentes com a equipe de marketing
- Integrar a gestão com o departamento de tecnologia para execução de estratégias de endomarketing.
- Comunicar-se com grandes equipes de vendas através de eventos, TV corporativa e equipes de gestão de conteúdo técnico e institucional.

O GUGA SABE VENDER. VOCÊ TAMBÉM.

Qual é
O·S·E·U
MOMENTO?

ESTÁ VIVENDO UM MOMENTO DIFÍCIL?

Lembre-se de suas convicções mais profundas da época em que você estava por cima. Questioná-las agora é típico do comportamento perdedor. Mantenha-se firme.

ESTÁ VIVENDO UMA FASE DE MUITOS APLAUSOS?

Lembre-se de que permanecer sendo aplaudido é uma conquista diária. O sucesso de hoje não garante o de amanhã.

ESTÁ VIVENDO UM MOMENTO DE DÚVIDAS?

Não tome nenhuma decisão até que saiba para qual direção seguir. Pior do que esperar é seguir o caminho errado.

RESISTA!

O mùndo ensinou-o a pensar de certa maneira. Você já parou para considerar para onde esse modo de pensar vai levá-lo?

Algumas pessoas costumam deixar que a vida decida para onde elas devem ir, sem se importar com o lugar aonde estão sendo conduzidas. Outras acreditam que não têm escolha, que o poder de decisão não está nas próprias mãos.

Mas algumas entendem a importância de reconstruírem sua maneira de pensar. Essas decidiram fazer uma faxina mental, eliminando todo o lixo acumulado em seu HD ao longo dos anos.

Quando pesquisamos a forma de pensar das pessoas que alcançaram o topo de forma honesta, percebemos que existe um padrão de raciocício e de comportamento entre elas. Mesmo sem se conhecer, elas agem de forma similar e muitas vezes repetem as mesmas frases e possuem as mesmas convicções.

Isso não é coincidência. Na verdade, significa que os excelentes resultados conquistados por elas não são aleatórios ou fruto de uma sorte inexplicável. Existe uma lógica que, inclusive, pode ser aprendida e replicada.

Admitir essa realidade não é fácil, pois é o mesmo que reconhecer que não somos mais vítimas, que ninguém está condenado a ser mais um na multidão por ter nascido em um ambiente repleto de dificuldades.

Não quero dizer que o meio não influencia, mas tenho certeza de que não é determinante. Seu destino estará sempre em suas mãos, ainda que custe muito trabalho e muita superação.

Depois de mais de 24 anos treinando e formando executivos e empreendedores, testemunhei muitas pessoas vencendo e fracassando sob minha liderança. Ao longo desse tempo, entendi que o fracasso, assim como o sucesso, não é aleatório. Por isso, posso afirmar que é possível ser treinado para ter sucesso em qualquer área, desde que a pessoa esteja disposta a deixar de lado os padrões implantados em sua vida pela sociedade.

Pode parecer simples, mas não é. Assumir que temos algo a aprender é admitir que não sabemos tudo e que somos responsáveis pelos nossos resultados, sejam bons ou ruins, e é muito mais fácil nos escondermos atrás de desculpas ou teorias que tirem de nossas costas o peso dessa responsabilidade. É mais conveniente culpar o mundo, a família, o governo, o sistema, a sociedade, o capitalismo, o socialismo ou seja lá o que for.

Felizmente, há muitas pessoas ávidas por subverter o senso comum que impede que a maioria desfrute do máximo de seu potencial. São pessoas corajosas, que se destacam daquelas que optaram por desistir de lutar por um lugar ao sol e que ficaram pelo caminho.

Não posso convencê-lo a não ser uma dessas pessoas, nem tenho uma fórmula mágica para lhe oferecer. A única coisa que afirmo - que é o que me manteve trabalhando voluntariamente nos últimos quatro anos - é que eu SEI que você é capaz de muito mais, mesmo que tenha desistido de acreditar nisso.

Minha expectativa, então, é de que, ao ler este livro, você seja profundamente tocado por estas ideias e que isso desencadeie, como um dia aconteceu comigo e com muitos outros, uma série de decisões e atitudes que vão transformar a sua vida, a de sua família e a de várias outras pessoas que serão encorajadas pelo seu exemplo.

Como costumo dizer, se apenas uma única pessoa viver essa transformação, todo o meu trabalho terá valido a pena. Depois de quatro anos, já vi uma pequena multidão de loucos que passaram a moldar sua mentalidade com a ajuda dos meus textos e que conseguiram revolucionar a própria vida. Então, já estou no lucro.

Pense fora da caixa você também.
Seja GV.

FAÇA UMA VISITA
AO **VOCÊ** DO
FUTURO

Se **VOCÊ** não entende a **IMPORTÂNCIA** do TEMPO de **PLANTAR**, nunca vai **desfrutar** do TEMPO de COLHER.

Quando começava a dar os primeiros passos profissionais, pensei em desistir algumas vezes. Ainda bem que não fiz isso. Hoje, se eu pudesse entrar numa máquina do tempo e estar frente a frente com o Flávio Augusto 24 anos mais jovem, eu lhe diria olhando bem dentro de seus olhos:

"Olá, eu sou você daqui a 24 anos. Vim aqui para lhe agradecer por sua luta, por sua perseverança e por você não ter desistido nos momentos mais difíceis. Você terá três filhos com essa menina que namora hoje, vai ser muito feliz ao lado dela, e, juntos, vocês vão construir muitos projetos. Não vou lhe contar mais nada porque talvez você não esteja preparado para saber de tudo agora.

"Ah, antes que me esqueça: hoje o Benjamin, meu filho mais novo, de 4 anos, ou melhor, seu filho também... Bem, deixa pra lá... Continuando, o Benjamin me entregou este presente que ele fez na escola. Em seguida me deu um abraço e disse que me amava. Vou deixar isso pra você, para que todas as vezes que passar por um momento de dificuldade e pensar em desistir, você lembre que a sua vitória também será desfrutada por ele.

"Só mais uma coisa: muito obrigado. Prossiga em sua luta. Garanto que seu esforço vai valer a pena. Pode confiar em mim."

E você? Se você pudesse voltar no tempo, o que diria a si mesmo? "Muito obrigado" ou "A culpa é toda sua".

Bem, sobre o que passou você não pode fazer mais nada. Mas e se recebesse do futuro a visita de sua versão com vinte anos a mais? O que ela diria para você? "Muito obrigado" ou "A culpa é toda sua"?

Pense nisso.

O
ESCULTOR
E A
essência
DE CADA UM

Certa vez, um GV me perguntou como fazer para recuperar sua essência. Eu respondi contando-lhe uma história:

"Aos olhos das pessoas comuns, uma tora de madeira é apenas uma tora de madeira e nada mais. Para um escultor, essa mesma tora pode ser várias coisas. Usando apenas as mãos e algumas ferramentas, ele lapida essa tora e a transforma num cavalo de madeira, por exemplo. Depois, quando as pessoas perguntam a ele, espantadas, como ele fez aquela escultura usando apenas uma tora, ele responde com simplicidade: "Eu não fiz o cavalo. Ele já estava ali o tempo todo. O meu trabalho foi apenas RETIRAR o que não fazia parte do cavalo, e aí está!"

Retire de sua vida o que não é a sua essência e você nunca precisará recuperá-la.

DEIXE A AUTOPIEDADE DE LADO E TOME POSSE DA SUA VIDA

Dentro d'água, quanto mais fundo você vai, maior é a sensação de que algo lhe puxa para cima. Essa força é chamada de empuxo.

Fazendo uma analogia com a nossa vida, é possível tirar proveito do empuxo para reagirmos em situações adversas. Quanto mais fundo descemos no mar do caos, maior é a força de empuxo que podemos usar a nosso favor para sair dele.

Já fiquei mais de cinco anos passando cerca de quatro horas por dia em transportes públicos lotados para estudar e trabalhar. Certa vez, eu e minha namorada demoramos quase cinco horas só para chegar a um churrasco. Chegamos no final da festa, famintos, e naquele momento tomei uma decisão definitiva: não dependeria mais de transportes públicos naquele estado degradante.

No entanto, há outra força contrária poderosa que é capaz de neutralizar o empuxo: a autopiedade. Em meio a uma situação extrema, colocar-se na posição de vítima das circunstâncias anula a sua força de reação a partir de seu empuxo emocional. Nesse caso, a culpa é sempre de outras pessoas, da sociedade, etc. Pensar assim aniquila a sua chance de reagir, de criar soluções e de encontrar caminhos para mudar a sua realidade. Em outras palavras, você fica imobilizado pelo próprio coitadismo.

Às vezes as pessoas falam: "Você diz isso porque é rico." Eu sempre respondo: "Entre outras razões, fiquei rico porque sempre disse isso a mim mesmo, ainda lá dentro de um trem lotado." Ninguém me contou. Eu vivi isso na pele. Há pessoas que pensam, equivocadamente, que sou herdeiro de uma fortuna, mas muitas sabem de minha origem simples na periferia do Rio de Janeiro.

Também já ouvi: "Você diz isso porque não é negro". Eu respondo: "Tem razão, não sou negro, mas ao ouvir coisas desse tipo, tenho vontade de ter nascido negro para lhe provar que isso não é um atestado de inferioridade e que, apesar da discriminação, a vontade e as escolhas do indivíduo, seja ele negro, branco, amarelo ou colorido, é que determinam seu destino". Tenho muitos amigos negros e conheço vários negros bem-sucedidos, tanto no Brasil como nos Estados Unidos. Sei muito bem que enfrentar as barreiras desta sociedade hipócrita nunca é fácil, mas é possível, SIM. É isso que me interessa e é isso que eu o aconselharia a levar em conta.

Lembre-se sempre de que quanto mais difícil for o seu desafio, maior será a força de empuxo, ou seja, sua força para superá-lo. Não permita que o vírus do coitadismo anule essa força fantástica que existe a seu favor.

Falo por experiência própria.

ESCOLHA
SER UM CRIADOR

Todo o sistema de ensino atual se direciona ao "como fazer". Com isso, geramos uma legião de pessoas que desconhecem que, na realidade, são capazes de criar diversas formas de "como fazer", e que o que tem realmente valor está muito distante do "como fazer" e muito próximo do "por que fazer?" ou do "pelo que fazer" e até do "temos mesmo que fazer?"

Quando eu nutro essa pretensão de inspirar uma nova geração de questionadores, ao mesmo tempo abro a janela para a descoberta de novos pensadores, criadores, inovadores, revolucionários, e não apenas de "fazedores", repetidores e seguidores da boiada.

Por isso, não ocupo o pouco tempo que tenho disponível para produzir conteúdos para o GV com o tal "como fazer". Sei que, infelizmente, pelo fato de a maioria das pessoas estar condicionada pelo treinamento recebido na escola, poucas delas captarão a essência do que escrevo e o valor por trás das provocações que faço diariamente. Mas é em nome dessas poucas que persevero, com a certeza de que elas fazem meu esforço valer

EM VEZ DE UM "FAZEDOR"

muito a pena e com a esperança de despertar algumas outras de seu sono profundo.

Faço questão de dizer de forma bem clara que esse sistema de ensino medíocre do "como fazer" me ajudou a conquistar no máximo 0,0001% de todos os resultados que alcancei em meus empreendimentos no Brasil e no exterior, saindo do zero, nas últimas duas décadas, sem contar os resultados que ainda vou conquistar.

Por isso, não espere que o GV ou qualquer iniciativa que eu tenha compartilhe conteúdos de algo convencional, listas mastigadas de "como fazer" ou manuais de procedimentos. Espere conhecer novas referências e, acima de tudo, observe meus resultados. Não apenas os resultados do passado, pois o passado não importa mais que o presente e o futuro. Avalie se aquilo que eu escrevo ou falo está sendo praticado em meus negócios e está presente em seus frutos, pois de discursos bonitos a internet está cheia, mas os resultados vitoriosos de seus autores podem ser contados nos dedos.

NÃO ENGANE SEUS filhos PARA NÃO CRIAR MENTIROSOS

Se você tem filhos, imagino que tente criar com eles uma relação de cumplicidade, para que se sintam sempre seguros e confiantes para compartilhar tudo o que acontece com eles no cotidiano da escola e com os amigos. Afinal, hoje em dia, precisamos estar muito atentos a tudo o que se passa com nossos filhos, e essa cumplicidade é nossa principal "arma" contra as más influências.

Bem, se você concorda que a verdade e a confiança são muito importantes e devem ser cultivadas, eu tenho uma pergunta a lhe fazer: você costuma mentir para seus filhos? Não quero entrar em discussões morais sobre a mentira. Cada um sabe a melhor maneira de criar os filhos. O que quero ressaltar é que, da mesma forma que você espera que eles lhe contem sempre a verdade, eles também esperam isso de você.

Se seus filhos descobrirem que você mente para eles, por menor que seja a mentira, não confiarão mais em você, ou então passarão a filtrar o que diz e talvez não acreditem mais de primeira. Com isso, você abre um precedente para que eles façam o mesmo. Simples assim.

Por exemplo: você já mentiu para eles sobre o Papai Noel? Nutriu a história do velhinho gordo e barbudo que entra pela chaminé para deixar presentes? Pois saiba que, para eles, isso não é uma fantasia, porque eles acreditam em você. Você pode até achar que estou exagerando, que as fantasias da infância são estimuladas em apenas uma fase, que você só quer passar adiante uma tradição, pois foi assim que aprendeu. Mas será que isso é saudável?

Um dia, eles vão descobrir que foram enganados. A maioria das crianças supera a decepção, mas outras sentem-se traídas pela pessoa em quem mais confiavam. É por isso que, apesar de adorar a troca de presentes, o clima de família e os dias de festas, nunca falei aos meus filhos que Papai Noel existia.

É importante lembrar que o Natal, por definição, não tem nada a ver com o velhinho de barba branca. Além disso, quem trabalha para presentear os entes queridos é você, portanto esse mérito é todo seu, não de um personagem que povoa o imaginário das crianças através da mentira perpetuada pela sociedade, pela escola e pela mídia, sempre de olho em seu cartão de crédito.

Não gostou do que eu falei? Como sempre digo, estou aqui mais para incomodar do que para massagear egos. Sou idealista e não gosto de seguir a boiada, de adotar os costumes de um sistema hipócrita que trocou o significado da data pelo consumismo desenfreado.

Se não acredita em mim, faça um teste. Atreva-se a não dar presente de Natal para seus familiares próximos. No guia do politicamente correto, virou quase uma obrigação dar presentes para "não ficar mal". Eu me recuso a fazer qualquer coisa que não seja de forma espontânea e que não tenha um significado real.

Então, em vez de mentir para os seus filhos e correr o risco de abalar a confiança deles em você por causa de uma historinha sobre o Papai Noel, ensine-os a aproveitar o fim de ano para desfrutar de momentos com a família, para refletir sobre o próximo ano e para confraternizar com os amigos. Sempre pensando fora da caixa.

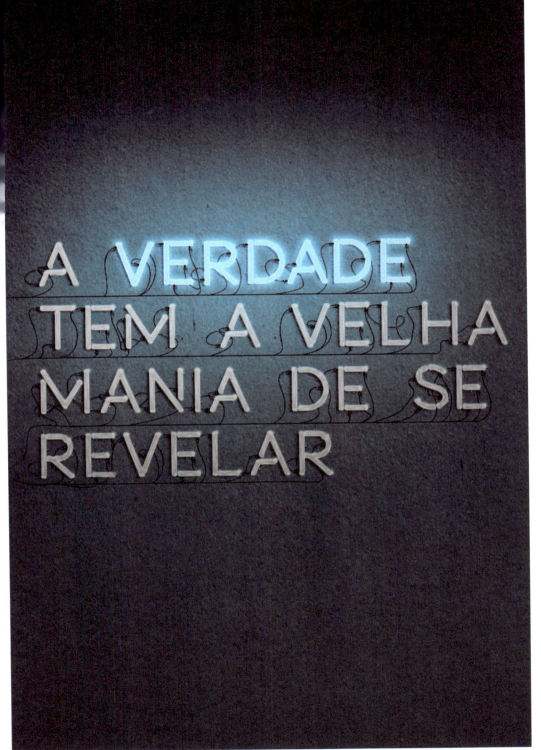

CUMPRA SUA MISSÃO SEM ESPERAR RECONHECIMENTO

Há projetos pelos quais você jamais receberá reconhecimento. Basta você saber que cumpriu sua missão e nada mais.

Uma mãe nem sempre é reconhecida por seu árduo trabalho com seus filhos, um pai nem sempre é reconhecido por seus esforços para suprir sua família, noites sem dormir ouvindo o choro de um bebê nem sempre serão recompensadas. Da mesma forma, serão poucas as pessoas a quem você estendeu a mão que voltarão para agradecer.

Faça sua parte, independentemente do reconhecimento, porque a maior recompensa sempre será sua consciência tranquila por ter cumprido sua missão.

Essa paz, não há reconhecimento que possa suprir.

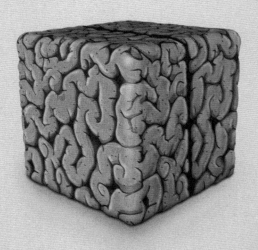

Quando você decide assumir a própria identidade e deseja realmente cumprir a sua missão, nada mais importa: nem a roupa que lhe colocaram, nem o rótulo que lhe atribuíram, nem os limites que lhe impuseram, nem o formato em que o encaixaram.

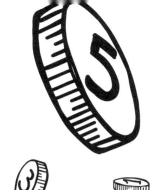

VAMOS FALAR SOBRE DINHEIRO

Hoje em dia, quando o assunto é dinheiro, existe um festival de hipocrisias sendo despejado por todos os lados nesta sociedade cheia de contradições. Como eu conheço muito bem os dois lados da moeda, porque já fui pobre e hoje sou rico, fico muito à vontade para escrever a respeito desse tema.

Nos últimos tempos, assumir que se gosta de dinheiro tem se tornado algo estranho. Quando alguém faz essa confissão atrevida e incomum, é olhado com reprovação e tratado como se fosse portador de alguma doença contagiosa.

Sim, dinheiro é bom, e quem nega isso é mentiroso ou então mergulhou sem perceber em algum tipo de incoerência que o deixou confuso. É com dinheiro que você provê educação e saúde para a sua família e que o governo de um país desenvolve projetos para o bem-estar da população. Portanto, se o dinheiro é necessário para que tudo seja realizado, por que tratá-lo como um demônio?

Alguns dizem que o dinheiro é que é a raiz de todos os males. Essas pessoas estão erradas. O AMOR ao dinheiro é a raiz de todos os males. Ou seja, o que brota dentro do ser humano – suas contradições, inveja e falta de caráter – produz em algumas pessoas uma ganância sem limite, uma paixão desmedida e uma obsessão por

dinheiro, fazendo-o ser dono delas, em vez do contrário. As pessoas não possuem o dinheiro, mas sim são possuídas por ele.

Ter dinheiro é bom, sim. Conquistá-lo honestamente por meio de sua capacidade de empreender é algo digno de ser admirado e seguido como exemplo. Assim, novos empreendedores podem ser formados, gerando mais empregos e aumentando o recolhimento de impostos que contribuem para o crescimento do país. Feliz é o país que tem muitos cidadãos produtores de riquezas, dando ao governo a chance de realizar projetos de modo a ajudar os menos favorecidos.

Há uma onda de hipocrisia e uma mentalidade medíocre que rondam a sociedade brasileira tentando denegrir o sucesso e o mérito, fazendo com que as pessoas tenham vergonha de dizer que são bem-sucedidas e ganham dinheiro. É uma completa inversão de valores, uma modinha que prejudica o país, criando uma corja de puritanos e hipócritas que confundem inveja com consciência social.

Os sintomas mais comuns dessa visão equivocada das coisas são um típico ar de superioridade, a arrogância e a pseudointelectualidade, e seus portadores em geral são pessoas que adoram ser sustentadas pelos privilégios governamentais que são, obviamente, patrocinados pelos impostos daqueles que elas tanto criticam.

Ganhar dinheiro é muito bom e ser escravizado por ele é uma doença, mas viver na hipocrisia, dizendo que pessoas ricas que conseguiram sua fortuna de forma honesta são seres sujos, é lamentável. Afinal, um país que sofre de sucessofobia não chega muito longe.

DEIXE DE SER APENAS
um consumidor
E SE TORNE TAMBÉM UM EMPREENDEDOR

Todos os dias você compra algum produto. Todos os dias, alguém ganha dinheiro com a sua decisão de consumo. Sim, eu sei, isso é óbvio.

Todos os dias, todas as pessoas economicamente ativas do país consomem produtos ou serviços. Todos os dias, alguém ganha dinheiro com a decisão de consumo de toda essa turma. Eu sei, isso também é óbvio.

Você foi treinado para ser um consumidor e alguém está ganhando bastante dinheiro com isso. Pois é, isso é bastante óbvio.

Mas se tudo isso é tão óbvio, por que não deixar de ser apenas um consumidor para se tornar um empreendedor?

Todos os seus vizinhos, amigos, parentes, amigos de parentes, seus seguidores nas redes sociais, os seguidores de seus amigos, pessoas de outras cidades e outros países, todos eles, sem exceção, estão prontos para meter a mão no bolso e comprar neste momento.

O que você vai vender para eles?

O que tento mostrar neste texto é que você pode estar nos dois lados. Você tem essa escolha.

Sempre existe uma forma diferente, mais eficiente e mais lucrativa de se executar aquelas mesmas coisas que todo mundo insiste em fazer mecanicamente, sem jamais questionar.

O nome desta prática é inovação.

SONHE GRANDE,

SAIA DA INÉRCIA
E PARTA PARA A AÇÃO.

O primeiro produto que vendi na vida foram relógios. O que me levou a tomar essa iniciativa foi querer ter dinheiro para ir ao cinema e fazer outros passeios com minha namorada, a Luciana, sem depender dos meus pais. Na época, ela tinha apenas 15 anos, e eu, 18.

Quando escolhi os fornecedores, no Paraguai, para em seguida vender e receber a minha margem de lucro, senti como se tivesse declarado a minha independência. Eu dependia apenas de mim e de mais ninguém. Isso para mim foi uma grande descoberta.

Vendi centenas de relógios e depois comecei a trabalhar na área comercial de um curso de inglês. O restante da história você já conhece.

O que quero ressaltar, o mais importante disso tudo, foi o motivo que me impulsionou a sair da inércia, como citei anteriormente.

E você? Quais são os seus motivos?

No caminho que está seguindo, você vai conseguir alcançar seus objetivos?

Se a resposta é não, o que está esperando para tomar uma atitude?

Se você é do tipo que se convenceu de que depende de um emprego, sinto muito. Talvez precise descobrir que você vale muito mais do que as 44 horas semanais previstas na CLT.

Comece pequeno e sonhe grande.

VOANDO ALTO

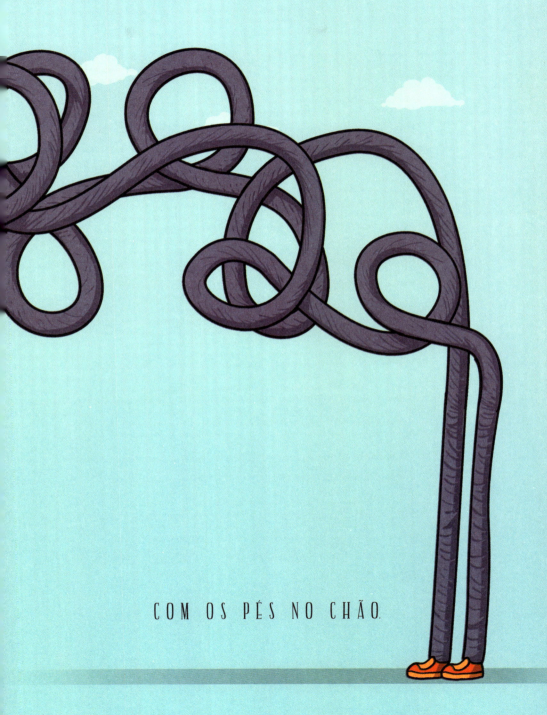

COM OS PÉS NO CHÃO.

Diga-me com quem andas...

Como já disse algumas vezes, a vida é um processo seletivo. Selecionar bem com quem dividi-la é crucial para que se tenha uma trajetória produtiva e saudável.

Mas como fazer essa seleção em meio a tantas pessoas que se aproximam todos os dias?

Depois de mais de vinte anos avaliando, selecionando e treinando executivos, posso lhe dar os seguintes conselhos:

- Olhe os resultados e não o discurso.

- Olhe os valores e não títulos ou posição.

- Avalie os motivos pelos quais as pessoas estão se aproximando de você.

- Observe o comportamento delas com outras pessoas, se agem por trás da mesma forma que agem pela frente.

- Diferencie elogios sinceros de bajulações dissimuladas.

- Repare na reação delas quando você lhes nega algum pedido.

- Afaste-se das que esperam que você seja perfeito.

- Alie-se àquelas que desejam ter uma missão de vida igual à sua e cultivam os mesmos valores.

- Observe se o respeito é um hábito e se elas praticam a lealdade mesmo em sua ausência.

- Acredite nas pessoas, mas retire pontos pela atitude. E cuidado para não se deixar levar por impressões.

- Valorize a humildade e reprove a arrogância. Observe como elas tratam os mais humildes.

- Considere a inteligência, mas avalie bem o esforço e a dedicação com que se entregam às tarefas.

Mesmo seguindo esses critérios, não há garantias de que você escolherá sempre as pessoas certas, pois o ser humano é muito complexo. Por outro lado, é exatamente por isso que retomar todo esse processo de forma constante pode ser fascinante.

É MAIS FÁCIL SURFAR UMA

...UNDA DO QUE CRIAR O MAR.

119

TENHA METAS,
NÃO ILUSÕES

Se você tem uma meta de longo prazo mas não tem uma visão clara sobre o passo a passo necessário para alcançá-la, deveria chamá-la de *ilusão* de longo prazo.

Boas ideias e conhecimentos não colocados em prática são como um baú de diamantes no fundo do oceano. Um tesouro que não vale nada.

Por isso, o seu valor no mercado não é medido pelo conhecimento que você possui, mas pelo que é capaz de fazer com ele.

Da mesma forma, seu valor pessoal não deve ser aferido pelo que você tem, pelo que faz ou pelo que sabe. Deve ser medido pelo que você é.

E quem você é se evidencia no fato de correr atrás do conhecimento para então agir e realizar conquistas como resultado disso.

A partir do momento em que colocar seu conhecimento em prática, você ganhará força e legitimidade em seus projetos e ideias. Isso significa que o maior desafio de sua vida sempre será o início, quando precisará demonstrar com resultados o valor de suas ideias e o que elas foram capazes de produzir.

É justamente nesta fase que muitas pessoas não su-
portam a pressão, perdem-se em meio aos sucessivos
fracassos e questionam valores que um dia as guiavam
na direção certa.

A fila anda. As novas gerações chegam e o mundo gira.
Hipócrita ou não, justa ou não, a sociedade nos impõe
esse desafio de provarmos que não somos só mais um
na multidão.

Aprender a jogar esse jogo faz toda a diferença. É uma
pena que a escola só ensine as pessoas a serem peões
e, a pensarem como tal. Mas felizmente há aqueles indivíduos mais inquietos, questionadores e corajosos, que
estão dispostos a correr riscos para realizar seus projetos e a se inspirar em exemplos de sucesso.

Esses não invejam as torres, as rainhas e os reis. Sentem-se como eles e têm humildade suficiente para
aprender todos os seus movimentos.

Este é você sem metas.

THINK ABOUT THAT!

HUMILDADE VALE OURO

Tenho dois filhos adolescentes e é impressionante como é importante para eles mostrarem que têm opinião própria. Quando amadurecerem, espero que cheguem à conclusão de que o importante mesmo é *ter* opinião própria, e não viver a obsessão de *mostrar* que têm opinião própria para serem aceitos.

Durante quatro anos seguidos, entre 1992 e 1995, eu me dediquei a fazer recrutamento, treinamento e formação de novos *trainees*. Dezenas de milhares de jovens de várias cidades do Brasil passaram pelo processo seletivo. Tive a oportunidade de trabalhar com pelo menos 3.500 novos *trainees*, e alguns deles chegaram a cargos executivos.

Nessa experiência, pude observar que nem sempre os que me impressionavam de primeira pela inteligência e pela eloquência eram os que chegavam mais longe e que todos os que conseguiram ser bem-sucedidos foram os que adotaram uma postura de aluno, valorizando o know-how dos gerentes que conduziam o processo de formação. Sabichões, arrogantes e presunçosos, junto com os que queriam sempre *mostrar* que tinham opinião própria, ficavam pelo caminho, criando teorias para justificar seu fracasso e tentando desqualificar o processo. Esses geralmente arrastavam os mais fracos com eles. No fundo essas pessoas nos ajudavam muito no processo seletivo natural: à medida que elas saíam, sobravam os profissionais melhores, que de fato tinham opinião própria.

Quero deixar claro aqui que humildade não é sinônimo de pobreza, mas sim uma postura livre de complexos, carências e necessidade de autoafirmação. Ser humilde é estar disposto a aprender, é ter a inteligência livre de todo o lixo emocional que tem sido colecionado por muitas pessoas que continuam presas à adolescência, algumas delas com 50 anos de idade ou mais. Essa importância exacerbada de mostrar que têm opinião própria está ligada à sua necessidade de se sentirem especiais ou melhores do que os outros.

O mais interessante é que o tempo passa e o que se planta é o que se colhe. Com isso, os resultados, que não são uma casualidade, deixam claro quem é quem nessa história e, no caso dos processos seletivos que eu realizava, todos os espertos fracassavam, enquanto os "otários" e sem "senso crítico" foram os que alcançavam o sucesso. Como vivo dizendo, amo ser otário.

ARROG

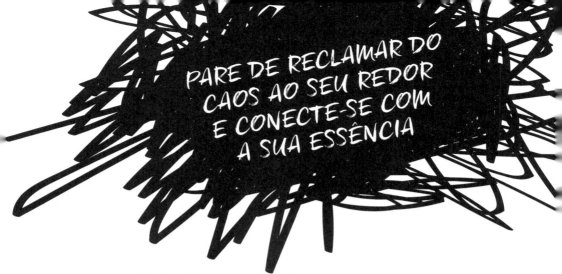

PARE DE RECLAMAR DO CAOS AO SEU REDOR E CONECTE-SE COM A SUA ESSÊNCIA

Certo dia, conversando com um repórter de um importante jornal brasileiro, ele me perguntou que imagem eu carrego na memória sobre minha adolescência. De certa forma, ele me levou a refletir sobre isso e cheguei a uma conclusão interessante.

Eu poderia ter lembrado que sempre fui muito amado pelos meus pais e parentes, poderia ter me lembrado dos bons amigos que tive ou até de minha passagem pelo Colégio Naval, de onde até hoje guardo boas recordações. Mas o que me veio à mente logo de cara sobre aquela época foram as viagens que eu fazia todos os dias nos transportes públicos do Rio de Janeiro.

Eram momentos de grande sofrimento, pois eu gastava quatro horas por dia na condução, entre ir e vir da escola e, mais à frente, do trabalho. Foram mais de cinco anos percorrendo pelo menos 30 mil quilômetros no total. Somadas, essas quatro horas diárias equivalem a quase mil horas por ano, ou seja, cerca de 40 dias por ano dentro de coletivos lotados, muitas vezes sendo vítima de assaltos e testemunhando as mais mirabolantes situações com que um morador da periferia convive com naturalidade.

Eu saía de casa antes das seis da manhã, com o céu ainda escuro, e durante essas longas viagens, espremido em meio a dezenas de pessoas com uma mochila cheia de livros nas costas, desenvolvi o hábito de ficar imaginando, enquanto olhava pela janela, a vida que eu queria ter.

Hoje, quando relembro a adolescência, sempre me vem essa lembrança da antiga rotina. É disso que gosto de recordar, porque posso me conectar com minha essência, com o que sou, de onde vim, e me lembrar de todas as vezes que usava esse tempo para sonhar e planejar uma mudança de vida.

Mas a minha principal razão para manter viva essa memória é poder preservar a certeza de que qualquer pessoa, por mais pobre e sem recursos que seja, pode transformar o caos numa realidade completamente diferente.

Se eu me esquecer de quem sou e de onde vim, imediatamente vou perder a autoridade para lhe dizer que você também é capaz de mudar a sua realidade de vida. Basta não sucumbir ao coitadismo.

ANTES DO SUCESSO

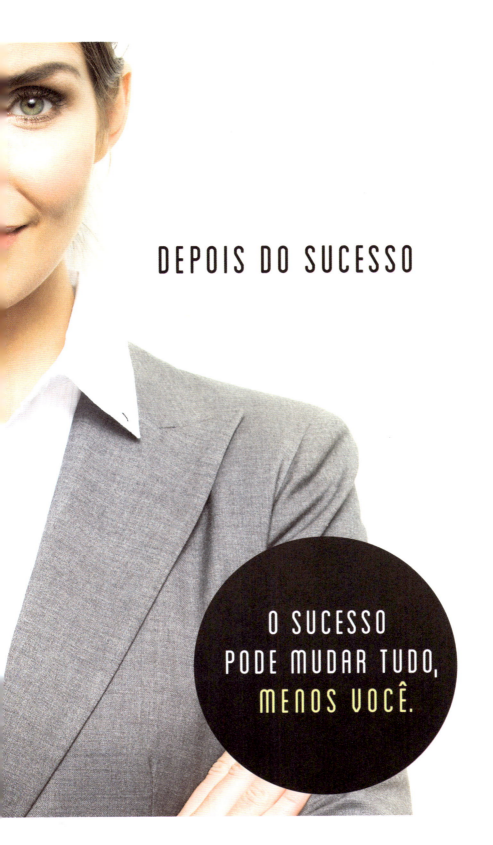

DEPOIS DO SUCESSO

O SUCESSO PODE MUDAR TUDO, MENOS VOCÊ.

SER LIVRE É UMA DECISÃO SUA

Você precisa decidir se quer lutar pela conquista de *segurança* ou de *liberdade*. Essa escolha muda brutalmente as suas prioridades, as coisas às quais você dedica seu tempo e seu estilo de vida.

As pessoas que buscam segurança devem ter um bom emprego como meta, mesmo que elas saibam que a empresa para a qual trabalham pode ser vendida e elas, demitidas. Se o emprego for público, a sensação de segurança é ainda maior. Elas não se importam se estão em uma função incompatível com a sua vocação ou em um ambiente em que não se sentem motivadas.

Mas para quem busca liberdade, estar preso 44 horas por semana numa empresa, sem a possibilidade de viajar quando quiser, decidir mudar de cidade ou país ou de definir o projeto que deseja investir, é inconcebível. Para indivíduos assim, ter tempo e recursos suficientes para fazer o que quiserem, quando quiserem e com qualidade é a prioridade absoluta.

Muitas pessoas não entendem que adotar um desses dois estilos de vida é uma questão de escolha, pois a sociedade as fez acreditar que precisam seguir um modelo preestabelecido, e elas sentem muito medo de tentar mudar. É esse medo que as faz buscar a todo custo uma sensação de segurança, mesmo que seja ilusória.

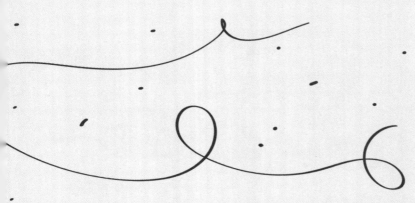

Na verdade, mesmo quem tem coragem de admitir que gostaria de levar uma vida com liberdade também hesita em dar este passo, pois o sistema educacional convencional o convenceu de que ser bem-sucedido é ter um emprego com um bom salário e desqualificou os que tentaram sair desse modelo industrial.

No fim das contas, só você poderá decidir o que deseja para sua vida. Talvez até já tenha decidido sem perceber, levado pela correnteza e tornando-se só mais um na multidão. Se é o seu caso, você pode até se sentir ofendido pelo que estou dizendo. No entanto, meu papel aqui é alertar: você tem escolha.

Sei que fazer essa escolha não é fácil. Sei que é apavorante. Mas quero que você entenda que os que conquistaram a liberdade são os que tiveram a coragem de dar as costas à sua suposta estabilidade, subiram ao topo de uma montanha para voar lá de cima e caçar a própria comida, sem garantias, porém sem limites, onde quiserem e quando quiserem. Isso é LIBERDADE.

Agora é um ótimo momento para refletir sobre como você deseja viver os seus poucos anos neste planeta.

Uma sociedade desencorajadora é um atentado à iniciativa

Por que algumas pessoas se alegram tanto com o fracasso alheio?

Por que gostam tanto de rir do vexame de amigos e desconhecidos?

Por que gostam tanto de "zoar" e desencorajar as pessoas por suas iniciativas?

Será que é por isso que muita gente acha melhor ficar em seu canto em vez de correr o risco de ser vaiada impiedosamente?

Por que muitas vezes encaramos um fracasso como uma vergonha em vez de pensarmos que uma iniciativa corajosa deve ser reconhecida e que um fracasso deve ser considerado uma fonte de aprendizagem?

Certa vez, uma menina norte-americana de 13 anos foi cantar o hino nacional de seu país numa partida da NBA. Nervosa, errou a letra que já havia cantado dezenas de vezes, na frente de cerca de 20 mil pessoas no estádio e de mais milhões de outras que assistiam ao vivo pela TV.

Diante da situação embaraçosa que estava prestes a se transformar num inesquecível caos, o técnico de um dos times correu para o lado dela e cantou junto com a menina ao microfone. A adolescente, então, em vez de ser vaiada pelo público - reação que frequentemente presenciamos -, teve o apoio de todas as pessoas no estádio, que cantaram junto com ela e a aplaudiram.

O que nós, como sociedade, precisamos aprender com essa atitude? Que tipo de encorajamento e incentivo temos dado às pessoas que ousam sair do quadrado e por alguma razão tropeçam? Será que não devemos reconhecer sua coragem e encorajá-las a tentar mais uma vez?

Crie o hábito de encorajar e abomine a mania nojenta de rir da desgraça das pessoas. Tenha compaixão em vez de gozar da cara dos que enfrentam situações embaraçosas. Faça com os outros o que gostaria que fosse feito com você.

Isso é o básico para se construir uma verdadeira Geração de Valor.

É o básico que nós, como seres humanos, precisamos aprender.

Guardar rancor faz adoecer, amargar, apodrecer.
Separa grandes amores e destrói grandes amizades.

O show da vida
ESTÁ SÓ ESPERANDO
QUE VOCÊ SUBA NO PALCO

Você é o protagonista da própria vida. Dificuldades e barreiras sociais não têm o poder de transformá-lo em um coadjuvante inexpressivo nas páginas de sua história, a não ser que você permita.

Sua inteligência, sua criatividade e sua determinação são capazes de superar essas barreiras aparentemente intransponíveis, gerando prosperidade e dignidade para sua vida e para a das pessoas que o cercam.

Não espere que alguém faça aquilo que apenas você mesmo pode fazer: escrever a sua história.

Suba no palco sem medo. Seja forte para lidar com as dificuldades e não se deixe manipular por discursos que promovem o coitadismo.

Nossa recompensa é o fruto que colhemos. A colheita é consequência do que plantamos. Nada no mundo funciona de forma diferente. Se você semear e perseverar, algum dia vai colher. Isso é tão certo quanto a lei da gravidade.

Da mesma forma, se você esperar colher aquilo que não plantou, nada acontecerá. Mas, se por acaso acontecesse, você jamais ostentaria a dignidade de que apenas as pessoas que venceram com o próprio suor podem se orgulhar.

Não precisa acreditar em mim. Tente e depois me avise. Só gostaria de lembrá-lo que o tempo não volta atrás e que quanto antes você começar a lutar pelos seus sonhos, mais rápido colherá o sucesso.

Suba logo no palco. O show da vida já começou!

Eu nasci assim, eu cresci assim, mas eu mudei, sim.

Seja sempre assim: pronto pra mudanças.

Pessoas inteligentes estão sempre abertas a mudanças quando entendem que estas podem colaborar com o seu crescimento. Elas não se apegam ao orgulho nem a crenças fatalistas e deterministas. Não desprezam o fato de que o meio, sim, influencia, mas estão convictas de que as próprias escolhas são o que determinam os seus resultados.

Poucos alcançam.
Poucos chegam longe.

LIBERTE-SE DO ORGULHO
E PERMITA-SE APRENDER

A inteligência humana lhe dá o privilégio de ser capaz de aprender tudo aquilo que desejar. Para isso, você só precisa assumir a posição de aluno, com humildade e com uma fome voraz de conhecimento. A sequência é esta: inteligência > humildade > aprendizagem

Porém, há um comportamento muito comum, quase uma espécie de patologia, que talvez possa até ser considerada uma epidemia que se espalhou pela espécie humana e que tem o poder de alterar esse fluxo. Estou falando do orgulho. Esse desvio tem o poder de retirar as pessoas de seu banquinho de aluno, instilando em seu portador a presunção de que ele sabe tudo, até neutralizar o fluxo criativo e inteligente que poderia lhe fazer crescer.

Por orgulho, casamentos se desfazem, guerras são deflagradas e grandes amigos tornam-se distantes. Perceba como fica a sequência, uma vez que a pessoa é infectada: inteligência > orgulho > estagnação

Escolha os professores certos para serem suas referências, mas, acima de tudo, seja o aluno "certo", humilde e com muita fome de aprender

Assuma a responsabilidade pelo seu sucesso

Seu pai pode não lhe dar atenção suficiente, sua mãe pode preferir o seu irmão, seus tios podem pensar que você é um caso perdido, seus amigos podem achar que você é um fracassado... Na verdade, o mundo inteiro pode estar vaiando você neste exato momento.

Mas você é capaz de virar o jogo. Eu acredito. E se você também acredita, um dia todos terão que aplaudir a sua vitória.

Comece agora mesmo.

VOCÊ SE TORNARÁ
JAMAIS QUEM
SEMPRE SONHOU
SEM ANTES ROMPER COM
AQUELA PESSOA
QUE SEMPRE
VOCÊ
F . O . I

SAIA DA ROTINA

CULTIVE O RESPEITO
E EXTERMINE A INVEJA
E A INTOLERÂNCIA

Há sentimentos considerados pouco nobres e que são muito difíceis de serem admitidos. No entanto, são mais comuns do que imaginamos. Neste texto, vou falar sobre dois deles.

O primeiro é a *inveja*. Você já viu alguém assumir que é invejoso? Por definição, inveja é o desgosto provocado pela felicidade ou prosperidade alheia. Logo, se você não se sente feliz ao saber que um amigo foi promovido, enriqueceu ou encontrou o amor de sua vida, e ainda por cima fica triste ou com raiva porque a sua hora nunca chega, sinto lhe informar que você é invejoso. Invejosos são pessoas que gastam a própria energia produtiva nutrindo esse sentimento ruim em vez de aplicá-la na conquista das coisas que desejam. Se você sofre desse mal, sugiro que procure um psicólogo.

O outro sentimento é a *intolerância*, que é a falta de paciência para ouvir e tentar entender opiniões opostas

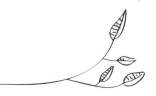

às suas. Se você sente repúdio, nojo, raiva ou aversão a ideias partidárias, filosóficas, ideológicas ou religiosas contrárias às suas, você é *intolerante*. Inclusive, esse sentimento é uma das principais razões para guerras e mortes, e sem dúvida é um dos motivos pelos quais o mundo vem se tornando um lugar em que é cada dia mais difícil de se viver.

Meu conselho é: promova a paz e a boa convivência entre todas as pessoas que conhece, independentemente de classe, orientação sexual, raça ou religião. Afaste-se daquelas que expressem qualquer tipo de intolerância, que promovam o confronto entre os diferentes, usando adjetivos depreciativos em relação a eles.

Uma sociedade sadia é resultado da forma de pensar e se comportar de sua população. Faça o que estiver a seu alcance para preservar o respeito entre todos, e você estará contribuindo para um mundo melhor.

LUTE ATÉ O ÚLTIMO SEGUNDO.

É PRA
CIMA
QUE SE
VOA.

O PRESENTE É UM CHEQUE PRÉ-DATADO DO FUTURO

Dentro de um modo cartesiano de enxergar a vida, podemos dizer que nossas escolhas de hoje determinam o nosso futuro. Ou seja, nós colhemos o que plantamos.

Isso está corretíssimo, mas, num nível mais elevado, é possível inverter essa ordem e afirmar que a maneira como enxergamos nosso futuro influencia a forma como vivemos o presente.

Em outras palavras, o seu presente é uma espécie de cheque pré-datado do seu futuro. Ou seja, você começa a plantar coisas grandiosas no presente porque enxergou, acreditou e tomou posse de um futuro grandioso.

Não há nada mais poderoso para influenciar a maneira como você leva sua vida agora do que a sua visão do amanhã.

Tudo é uma questão de percepção e liderança que poucos alcançam.

SEJA UM DOS QUE CONSEGUEM.

VOCÊ NÃO É BOM DEMAIS PARA METER A MÃO NA MASSA

Outro dia uma antiga conhecida minha, uma mulher de 32 anos, elegante e requintada, me fez a seguinte pergunta:

— Flávio, estou pensando em empreender. A que tipo de negócio você acha que eu deveria me dedicar? Tenho pouco capital disponível, cerca de 20 mil reais.

Olhei nos olhos dela e respondi:

— Acho que você poderia vender picolés.

Ela me encarou parecendo surpresa, quase ofendida, pelo que eu dissera, e alegou que vender picolés era uma atividade desprezível e incompatível com o seu "nível".

— O que a Kibon faz há décadas? – perguntei.

Ela respondeu em um tom de que a resposta era muito óbvia:

— Vende picolés.

— Então por que você não faz o mesmo? — falei. — Jorge Paulo Lemann também vende picolés. Um de seus fundos investiu em paletas mexicanas. Você é melhor que a Kibon e que o Jorge Paulo Lemann?

— Não dá para comparar... — tentou justificar.

— Pois é — retruquei. — Não dá para comparar mesmo. Grande parte dos fundadores de grandes empresas iniciou seus empreendimentos com negócios pequenos e fazendo de tudo. Para eles, o que faziam não era desprezível. Eles não se consideravam bons demais para meter a mão na massa nem qualificados demais para vender seus produtos. Realmente não dá para comparar. Eles são bem diferentes de você. Meu conselho é que não empreenda, pois, pensando assim, a possibilidade de não ter sucesso é muito grande.

Conclusão: para construir um projeto é preciso estar disposto a começar pequeno ao mesmo tempo que se deve pensar grande. Quem se acha bom demais para começar assim dificilmente chegará a algum lugar de destaque.

POR FICAREM COM UMA IDEIA FIXA SOMENTE EM CARREIRAS QUE ESTEJAM CONVENCIONALMENTE RELACIONADAS A SEUS DIPLOMAS, MUITOS DEIXAM DE SEGUIR NOVOS CAMINHOS QUE CAMINHOS PODERIAM CONDUZI-LOS A GRANDES OPORTUNIDADES.

Você vai colher SÓ O que plantar.

O poder do "até".

A natureza nos ensina com muita simplicidade. COLHER, que é o que todos desejam, só é possível se você PLANTAR, o que é extremamente penoso e uma tarefa que poucos se dispõem a cumprir.

Às vezes queremos subverter essa lógica motivados pelo imediatismo ou por desejarmos um resultado que nos dê uma aparente sensação de segurança, uma vez que sempre há o risco de a colheita ser comprometida por pragas. Seja pelo imediatismo ou pelo medo das variáveis, acabamos perdendo o foco no plantio e aí, sim, comprometemos o resultado final.

FOCO é fundamental na hora de plantar, bem como perseverança para cuidar do plantio ATÉ que cheguemos à colheita.

Eu destaquei a palavra ATÉ porque gosto muito dela. Considero-a um termo poderosíssimo, apesar de pequenino.

Muitos não têm paciência para atravessar o ATÉ, outros nutrem incertezas durante o ATÉ, enquanto outros, ainda, depositam seu foco e dedicação neste percurso indispensável. O trajeto do ATÉ é o lugar onde muitos talentos se perdem, o ponto onde os impacientes desviam e os medrosos colocam tudo a perder em busca de mais segurança. Um paradoxo, pois seguro mesmo é plantar e perseverar ATÉ colher.

No fundo, tudo é muito simples mesmo. Nós é que complicamos quando não observamos bem as leis da natureza, que nos ensina gratuitamente a lógica de tudo o que prospera e cresce neste planeta.

FAÇA A SUA PARTE, independentemente DO RECONHECIMENTO, PORQUE A» MAIOR RECOMPENSA SEMPRE será A certeza DO DEVER CUMPRIDO.

Ideal para acomodados.

SAIBA LIDAR COM A PRESSÃO.
ELA FAZ PARTE DA VIDA.

Está se sentindo pressionado de todos os lados?

Pelos amigos, pela família, pela escola, pela sociedade?

Essa pressão por alguns instantes tirou sua alegria, sua convicção sobre a própria identidade e todo o sentido naquilo que você faz?

Tenho algumas dicas para você:

1. Lembre sempre que qualquer coisa que você faça é porque quer. Você não deve fazer nada para satisfazer apenas os outros, seja sua família ou quem o financia. Sim, as outras pessoas são importantes, mas não esqueça que os projetos são seus e não delas. Ao ter isso em mente, você vai perceber que muito da pressão que sente é porque essa convicção se perdeu pelo caminho em algum momento.

2. Se for necessário, faça uma pausa de uma semana. Falte à aula, peça alguns dias de dispensa no trabalho e dedique um tempo para organizar seus objetivos. Verifique se no meio do percurso você passou a ocupar seu tempo com coisas que não fazem sentido e que tenham mais a ver com o status do que com seu propósito de vida. Tirar um tempo para refletir se estamos na direção do que planejamos sempre dá um excelente retorno.

3. Observe se as redes sociais estão tomando um lugar mais importante do que deveriam em sua vida. Passar tempo demais navegando nesses sites pode produzir em você uma preocupação excessiva com o que as pessoas pensam e uma necessidade exagerada de aprovação, a ponto de você passar a enxergar os "likes" como uma forma de nutrir seu sentimento de aceitação pelo meio. O que de fato importa é se você está cumprindo o seu propósito de vida. O resto é secundário e isso inclui a opinião das pessoas a seu respeito.

4. Você é livre e não é obrigado a fazer nada. Não tenha medo de mudar. Alterar planos e metas, mudar o corte de cabelo e o estilo de se vestir, trocar de cidade, de escola, de trabalho... Tudo isso faz parte da vida. O que você não pode jamais fazer é mudar a sua essência. Mudar quem você é para tentar agradar as outras pessoas é como dirigir sem rumo e com pouca gasolina no tanque.

5. Você é jovem. Tem muito tempo pela frente. Não, você não é um fracassado, ainda que possa colecionar muitos fracassos em várias áreas da vida. Na hora em que estiver em paz com o seu propósito de vida, tiver deixado de ser escravo das opiniões alheias e suas tarefas estiverem em harmonia com tudo isso, todos esses fantasmas desaparecerão num estalar de dedos.

APRENDA A LIDAR COM A PRESSÃO.

FAÇA COM QUE DAQUI A
ALGUNS ANOS VOCÊ DIGA:
**"EU FARIA TUDO
DE NOVO."**

Ajudar é melhor do que ser ajudado.

Por quê?

Para começar, o fato de não precisar ser ajudado já é uma grande vantagem. Mas não é só isso. Estar na posição de ajudar significa que você tem o suficiente para si mesmo e ainda para compartilhar. É uma posição bastante privilegiada. Além disso, quem ajuda conquista aliados que, uma vez reerguidos, também poderão um dia ajudá-lo a alcançar os próprios objetivos.

Portanto, quando você investe no "nós", o seu "eu" é recompensado.

Altruísmo? Não deixa de ser. Mas também é um excelente negócio. Parafraseando um dito muito conhecido: "Se o egoísta soubesse que compartilhar é um bom negócio, ele compartilharia só por egoísmo."

Parece uma pergunta muito óbvia, mas me atrevo a dizer que a maioria dos empreendedores não sabem responder corretamente, ou no mínimo darão uma resposta que, por sua falta de visão, acaba limitando muito o seu projeto.

Recentemente, conversando sobre esse assunto com um amigo, fiz a ele essa mesma pergunta e percebi que ele ficou me olhando sem entender muito bem o que eu queria saber. Na realidade, ficou claro que achou minha pergunta elementar demais, já que criou seu negócio há oito anos. Apesar de não ter verbalizado resposta alguma, sua expressão dizia: "É claro que eu sei qual é o meu negócio, Flávio."

Decidi perguntar, então, se ele sabia qual era o MEU negócio em Orlando.

– Ah, é um clube de futebol – retrucou ele, fazendo uma cara de Albert Einstein.

– Exatamente o que eu achava que você responderia – falei. – Não, o meu negócio não é um clube de futebol. Não é isso que estou vendendo em Orlando. Eu vendo autoestima, orgulho pela cidade, sensação de pertencimento. É um grande movimento. Uma revolução que já juntou quase 34 mil torcedores por jogo numa pequena cidade nos Estados Unidos.

Ao entender qual era exatamente o meu negócio em Orlando, toda a estratégia de comunicação foi direcionada para esse conceito; todo o planejamento, o *branding* e os valores do clube foram construídos sob esta ótica. Não é por acaso que o nome é Orlando City. Leva o nome da cidade, minha comunidade, a tribo à qual pertenço. Por isso, sinto-me orgulhoso e cheio de autoestima por ter o melhor jogador do mundo de 2007, o Kaká, um lindo estádio (minha casa) sempre lotado de torcedores apaixonados (minha família), para deixar um legado para as próximas gerações.

Ou seja, o futebol é um meio para tudo isso ser alcançado.

Perguntei então ao meu amigo mais uma vez:

– Será que você sabe mesmo qual é o seu negócio?

Ele respondeu com outra pergunta:

– Flávio, que visão você acha que eu deveria ter sobre o produto que vendo?

Eu sorri e falei que agora poderíamos começar a conversar.

E você, GV? Sabe qual é o seu negócio ou o negócio que um dia você sonha abrir?

QUER MUDAR O MUNDO?

Mude um mundo de cada vez.

Muitas vezes, é preciso dar com desprendimento
por se tratar de uma emergência. No entanto,
a maior generosidade é aquela que produz
autonomia, dignidade e capacidade de produzir
o sustento com as próprias mãos.

Dar muitas vezes é necessário.

Dar a chance para que a pessoa tenha
o próprio sustento é a maior prioridade.

~~~~~

O sistema mundial é representado por essa esteira. Ele é injusto? Justo ou não, a humanidadedepende dessa esteira rodando parasobreviver, e isso tornou-se irreversível.

Portanto, mova-se e aprenda a jogar o jogo ou então fique para trás, lamentando-se e sentindo-se mais um injustiçado.

Quem é GV já sabe o que fazer.

OS DOIS LADOS DA MOEDA

Hoje, assistindo a um vídeo filmado no Rio de Janeiro no qual pessoas amontoadas dentro de um ônibus acabavam tendo que viajar penduradas nas janelas, numa cena de violência e discriminação, lembrei-me das muitas vezes que precisei enfrentar condições muito parecidas para conseguir chegar em casa depois de horas de trajeto.

É fato que, quando vai à praia no fim de semana, os suburbanos lidam com a discriminação por parte de alguns moradores da região, que se sentem com mais direitos que os visitantes indesejados e demonstram um forte incômodo em conviver com eles. Essas pessoas não disfarçam o desconforto pela presença de membros de uma classe social mais baixa, que às vezes falam alto, levam marmitas com farofa e deixam um rastro de lixo na areia. Sim, há discriminação por quererem a praia somente para si e não aceitarem a diversidade de frequentadores.

Por outro lado, também é fato que falta educação em muitos visitantes e que este comportamento pouco civilizado de alguns é reflexo de um recalque social. Para temperar ainda mais esse prato indigesto, uma minoria pratica arrastões, provocando pânico, prejuízos e alguns feridos.

Como eu já disse, eu também vim da periferia e senti na pele esse recalque. Tinha vergonha de dizer onde morava e me sentia diminuído perto dos "riquinhos" que exibiam suas pranchas de surf e um bronzeado de quem só precisa atravessar a rua para ir à praia todos os dias. No entanto, eu não concordava com o tumulto, com o calote nos ônibus e com os saques em estabelecimentos comerciais na hora em que batia a fome, praticados por alguns colegas de subúrbio. Uma das coisas que aprendi, nos últimos 20 anos, foi a me orgulhar da minha origem. Curei-me dos meus complexos de inferioridade, aprendi a lidar com pessoas de todas as classes sociais e a ver valor em todas elas.

No fundo, este cenário expõe, sem piedade, tanto o preconceito dos mais abastados como o déficit de educação dos que frequentam escolas públicas na periferia, estabelecimentos que não foram capazes de criar novos valores para essa população de excluídos. Não há inocentes nesta cena nem culpados de um único lado. Este é o retrato de uma sociedade que relativiza o que é certo promovendo discursos "socialmente conscientes", que toma partido de acordo com suas conveniências e que é calada pelas abordagens politicamente corretas, mas que não faz nada, de fato, para mudar o quadro, limitando-se a explorá-lo politicamente.

Sim, muitos dos mais privilegiados são preconceituosos por não saberem conviver com as diferenças, mas o outro lado da moeda também precisa aprender a viver em sociedade. Isso poderia ser ensinado pela escola, mas, pela ausência do Estado, essa grande massa é mantida sem referência de civilidade, enquanto os mais educados alimentam ainda mais o seu sentimento de superioridade e seu preconceito.

O fato é que não há inocentes nessa história. A doença é generalizada.

Porém o que mais me enoja é o uso político desta realidade, tanto pela direita quanto pela esquerda. Os dois lados utilizam exatamente a mesma matéria-prima para disseminarem suas teses e angariarem seguidores.

Políticos sérios deveriam enxergar o problema de forma mais ampla nos dois espectros, em vez de fomentar ainda mais as lutas entre as classes, que tanto já dividiram o país e continuam a destruir nossa unidade e identidade. Na minha opinião, ainda somos um país de terceiro mundo porque insistimos em nos comportar como tal. A verdade é que nossa sociedade está doente e a mediocridade assola todas as classes sociais.

Enquanto tivermos governos incompetentes, eleitos por uma população que é mantida na ignorância, seremos um país de contradições e de população arrogante. Precisamos pensar fora da caixa, precisamos crescer e nos livrar dos políticos sanguessugas que se perpetuam no poder. Precisamos de lideranças que interrompam esse discurso que divide e inicie um novo ciclo de união, apesar das diferenças.

Só assim o rico estenderá a mão e o pobre lutará com todas as forças para mudar sua condição. Só assim seremos um país que tem como lema o trabalho e pratica uma mentalidade de construção e dignidade. Um país que trabalha e cresce, e não uma nação que cria dependentes e vendedores de votos.

Até quando seguiremos para o lado errado?

Até quando seremos reféns desses discursos que fomentam lutas entre os próprios brasileiros?

Enquanto isso, bilhões estão sendo gastos na preparação para as Olimpíadas, atraindo para o Rio de Janeiro toda a atenção da imprensa internacional, que tem divulgado essas lamentáveis imagens e notícias sobre violência aos quatro cantos do mundo.

Conclusão: estamos pagando caro para queimar de vez o filme do país. O mundo assiste perplexo a um Brasil que já foi uma promessa, mas que hoje se tornou uma vergonha.

O mal muda o mundo sempre que o bem fica mudo

Falso ou verdadeiro?

Leia os 70 pensamentos abaixo de uma tacada só. Garanto que você será confrontado por alguns, instigado por outros, desafiado por quase todos e será tentado a discordar de alguns. No final, o que vale é a reflexão.

1. Lucro não é pecado.

2. A força do Estado é maior do que a vontade do indivíduo.

3. As leis são o suficiente para garantir as boas práticas de uma sociedade.

4. A intervenção governamental é fundamental para garantir o bem-estar da população.

5. Estados Unidos, Inglaterra, Austrália, Alemanha e Coreia do Sul têm populações com mais qualidade de vida e oportunidades comparados com países com maior intervenção estatal.

6. A China é uma potência econômica e é um exemplo de que intervenção estatal é o caminho certo.

7. A iniciativa do indivíduo, aliada a seus desejos, sonhos e ambições, é o que move a economia de um país e enriquece sua população.

8. Qualquer população dependente do Estado ou de quem quer que seja tende à pobreza.

9. Quanto maior é a cobrança de impostos, menor tende a ser a arrecadação do governo.

10. Não existe sistema perfeito.

1 - verdadeiro 2 - falso 3 - falso 4 - falso 5 - verdadeiro 6 - falso 7 - verdadeiro 8 - verdadeiro 9 - verdadeiro 10 - verdadeiro

11. Para cada pessoa que enriqueceu, muitas tiveram que empobrecer ou se manterem pobres.

12. Toda economia centralizada e com forte intervenção governamental tende a entrar em colapso, empobrecendo sua população.

13. A livre iniciativa e o livre mercado são ingredientes de países de primeiro mundo e de populações com mais oportunidades.

14. Liberdade > Igualdade.

15. A deterioração drástica da economia da China é uma questão de tempo e já começou a dar sinais de fragilidade.

16. Há cinquenta anos a Cingapura era extremamente pobre e enriqueceu rapidamente com base numa educação voltada para o empreendedorismo.

17. Com o sistema político adotado por vários países da América Latina, este bloco retrocedeu pelo menos trinta anos em desenvolvimento econômico nos últimos dez anos, o que resultará no empobrecimento de sua população.

18. O principal programa social de qualquer governo é a economia. Logo, o governo que cuida dos pobres é necessariamente um governo bem-sucedido na área econômica.

11 - falso 12 - verdadeiro 13 verdadeiro 14 verdadeiro 15 verdadeiro 16 verdadeiro 17 verdadeiro 18 verdadeiro

19. Se os ricos são a elite, com base nos critérios do IBGE todos os políticos fazem parte dela.

20. Trabalhar não é castigo.

21. Quem nasce pobre morre pobre.

22. O meio e as condições sociais determinam o destino de uma criança.

23. A educação das crianças é responsabilidade apenas do Estado.

24. Concluir uma faculdade é fundamental para o sucesso.

25. Ricos são mais felizes.

26. Ricos são menos honestos.

27. Fatores externos, como condição social e família, influenciam fortemente mas não determinam o seu destino.

28. O sistema de ensino nas escolas e universidades está completamente ultrapassado e desconectado com as necessidades do mercado.

29. A distância entre a sala de aula e a realidade de um novo mundo repleto de estímulos criados pela tecnologia fez com que escolas e professores perdessem parte do controle sobre seus alunos, que tendem a ficar cada mais desinteressados no conteúdo apresentado.

19 - verdadeiro 20 - verdadeiro 21 - falso 22 - falso 23 - falso 24 falso 25 falso 26 falso 27 verdadeiro 28 verdadeiro 29 - verdadeiro

30. Grande parte do diagnóstico de TDAH é equivocada e a prescrição da ritalina, conhecida como a droga da obediência, é desnecessária, sendo resultado da incompetência do sistema de ensino, aliada aos interesses comerciais dos laboratórios e temperada pela omissão dos pais.

31. A desigualdade social sempre existirá. O sucesso não está na igualdade, pois nenhum de nós é ou será igual a qualquer outra pessoa. O sucesso está na diminuição do abismo entre as classes, incluindo os mais pobres e transformando-os em novos consumidores.

32. Quem nasce rico morre rico.

33. Estabilidade não existe.

34. Segurança é a maior conquista de um profissional.

35. A mulher é menos capaz que o homem.

36. Negros são tão capazes quanto os brancos e, apesar do racismo e de heranças históricas, podem vencer as diferenças e serem bem-sucedidos e relevantes na sociedade.

37. Autoestima, complexos de inferioridade e rejeições não são curados com uma lei, mas sim com a evolução da sociedade, o que pode ser resultado de campanhas de conscientização de longo prazo.

30 - verdadeiro 31 - verdadeiro 32 - falso 33 - verdadeiro 34 - falso 35 - falso 36 - verdadeiro 37 - verdadeiro

38. Políticos são tratados como produtos pelos publicitários, que, durante as eleições, são contratados a peso de ouro e passam a determinar o que os candidatos vestem, o que dizem e até o tipo de promessa que farão.

39. Segundo leis em vigor, a responsabilidade de educar e orientar as crianças sobre sua sexualidade é única e exclusivamente dos pais, não cabendo ao Estado a interferência no assunto sem a permissão dos pais.

40. O politicamente correto é uma nova versão de ditadura da opinião à qual a sociedade aderiu de forma inconsciente.

41. Quem se importa em agradar a todos em todos os momentos fatalmente perderá gradativamente uma parte importante de sua saúde emocional.

42. Todos podem aprender como prosperar.

43. FGTS e décimo terceiro salário são benefícios conquistados pelo trabalhador que fizeram grande diferença na vida das famílias.

44. Todos somos vendedores.

45. É possível empreender sem sair de casa, através da internet.

46. MMN (marketing multinível, ou marketing de rede) é o mesmo que pirâmide.

38 - verdadeiro 39 - verdadeiro 40 - verdadeiro 41 - verdadeiro 42 - verdadeiro 43 falso 44 - verdadeiro
45 - verdadeiro 46 - falso

47. Dinheiro fácil não existe para um indivíduo que quer crescer honestamente.

48. Morar em outros países traz uma experiência de vida positiva.

49. O que você comprou honestamente, com o seu esforço, deve ser protegido por lei como sua propriedade privada.

50. Sindicato ganha dinheiro fácil e pouco produz.

51. Se você acha que as coisas no mundo estão de cabeça pra baixo e os valores estão invertidos, você faz parte de uma maioria crescente e silenciosa que deseja mudanças.

52. Quanto mais empreendedores no país, mais impostos são arrecadados e mais riqueza é gerada para a sociedade.

53. O trabalho dignifica o homem e empreender o enriquece.

54. Trocar a realização pela sensação de estabilidade, a médio prazo, causa tédio e frustração.

55. No fundo, toda pessoa deseja ter uma aventura para viver, uma guerra para lutar e uma donzela para resgatar.

47 - verdadeiro 48 - verdadeiro 49 - verdadeiro 50 - verdadeiro 51 verdadeiro 52 - verdadeiro 53 - verdadeiro 54 - verdadeiro 55 - verdadeiro

186

56. Quanto mais evoluída é uma sociedade, mais ela consegue, ao mesmo tempo, nutrir seus desejos individuais sem perder o senso de coletividade que proporciona a boa convivência entre os diferentes.

57. Individualismo é diferente de individualidade.

58. Os ricos desejam que os pobres fiquem sempre pobres.

59. É bom para os ricos que os pobres prosperem.

60. A pobreza é alimentada pela ausência de conhecimento e informação sobre como sair da pobreza. Em vez disso, o vitimismo é alimentado como se nada pudesse ser feito para mudar essa situação pela iniciativa do próprio indivíduo.

61. Um jovem sem experiência não é capaz de se destacar e ser bem-sucedido.

62. Experiência é diferente de maturidade.

63. Enquanto você mora com seus pais e depende deles, você é coadjuvante da vida deles. Ao iniciar a própria família você passa a escrever o seu roteiro e ser o protagonista da própria história.

64. A família deve servir de estímulo e não de desculpa para avançar na realização de seus projetos.

56 – verdadeiro 57 – verdadeiro 58 – falso 59 – verdadeiro 60 – verdadeiro 61 – falso 62 – verdadeiro 63 – verdadeiro 64 – verdadeiro

187

65. Um país que constrói em sua população uma mentalidade e uma cultura vitoriosas vai prosperar. Um país com mentalidade e cultura medíocres terá necessariamente resultados medíocres.

66. A quantidade de diplomas pendurados na parede não define o seu sucesso e realização. O seu valor no mercado não está relacionado à quantidade de conhecimento acumulado, mas sim ao que você foi e é capaz de fazer com o seu conhecimento.

67. Seus pais, muitas vezes por desejo de protegê-lo, não serão favoráveis aos riscos inerentes às conquistas de seus sonhos, mas depois que eles forem alcançados, eles ficarão orgulhosos de você.

68. Socialistas são humanistas e capitalistas são egoístas. Todo socialista é mentiroso e desonesto.

69. Pense como a maioria e tenha o mesmo resultado que eles.

70. Sorte é uma questão de estatística.

65 - verdadeiro 66 - verdadeiro 67 - verdadeiro 68 - falso 69 - verdadeiro 70 - verdadeiro

NADA ESTÁ GANHO. NADA ESTÁ PERDIDO.

UMA EMPRESA DE ALTA PERFORMANCE TEM O SEU FOCO NO DESENVOLVIMENTO E NA FORMAÇÃO DAS PESSOAS E POR ISSO ALCANÇA AS SUAS METAS COMO CONSEQUÊNCIA DO ENGAJAMENTO DE SUA EQUIPE.

UMA EMPRESA MEDÍOCRE TEM O SEU FOCO EM RESULTADOS TRIMESTRAIS E POR CONSEQUÊNCIA CONSEGUE APENAS MONTAR UMA EQUIPE DE MERCENÁRIOS QUE TRABALHAM PARA MANTER OS SEUS EMPREGOS.

EDUARDO

CA**M**ILA

PEDRO

CLA**R**ISSA

RAFA**E**L

PRI**S**CILA

JULI**A**NA

ED**S**ON

SÃO FEITAS DE PESSOAS.

NÃO DEIXE ELE DEVORAR O SEU TEMPO.

Amigo DE VERDADE é QUEM ESTÁ DISPOSTO A CORRER O risco de SER mal INTERPRETADO PRA LHE DIZER QUE VOCÊ está ERRADO, mesmo VOCÊ QUANDO VOCÊ NÃO QUER ESCUTAR.

CUIDE DO SEU LADO
emocional
E ALCANCE O sucesso

As principais razões para o fracasso de empreendedores e outros profissionais costumam estar muito mais relacionadas às suas deficiências emocionais e comportamentais do que à falta das habilidades técnicas necessárias para suas funções.

No entanto, parece que, pelo desejo das pessoas de serem pragmáticas e pela facilidade que elas têm de priorizar as questões técnicas, a importância das questões emocionais acaba sendo diminuída ou mesmo ignorada, às vezes até com um certo preconceito.

No esporte, fica bastante claro até que ponto os aspectos emocionais são determinantes em momentos de decisão. Quando um atleta cobra um pênalti, por exemplo, dependendo de seu estado emocional no momento, uma coisa simples como dar o chute – algo que ele pratica todos os dias – acaba se tornando um enorme desafio.

No ambiente corporativo acontece o mesmo. Aspectos ligados ao campo emocional – como a dificuldade de trabalhar em equipe, a incapacidade de agir em momentos de pressão, a inabilidade do chefe em se relacionar com seus funcionários e vice-versa, a dificuldade de lidar com incertezas, em controlar a ansiedade, em liderar ou ser liderado e em superar frustrações – frequentemente transformam exímios profissionais, que dominam todas as suas tarefas do ponto de vista técnico, em membros irrelevantes da equipe, por não saberem gerenciar emoções.

Para um empreendedor, saber lidar com desafios emocionais é ainda mais importante, já que ele é obrigado a circular em ambientes instáveis, com constantes mudanças de cenários econômicos, concorrência etc. A incapacidade de lidar com essas instabilidades também pode, eventualmente, afetar seus funcionários, que talvez decidam abandoná-lo, ou passem a trabalhar com a concorrência, ou quem sabe até lhe criem uma demanda judicial.

Há também os aspectos relacionados aos consumidores. Seu produto poderá ficar ultrapassado do dia para a noite, acarretando queda nas vendas e problemas em seu fluxo de caixa, que talvez já esteja apertado por conta dos juros que aumentaram para manter o seu capital de giro. Com isso, o banco já começou a delicadamente ameaçar cortar o seu crédito... Percebe como é fundamental saber lidar com as emoções?

No meio de tantos desafios, muitos se perdem, deixando de lado convicções importantes para que consigam virar o jogo. Ficam desestimulados, perdem a visão e têm até vontade de desistir. Esquecem que essas adversidades também fizeram parte da trajetória das pessoas que chegaram ao topo, que souberam lidar com elas e dar a volta por cima, destacando-se da multidão e subindo ao lugar mais alto do pódio. Muitas vezes, esses que são constantemente aplaudidos não são os que detêm o melhor conhecimento técnico.

Eu não li essas informações num livro nem ouvi alguém falando numa sala de aula que ouviu de outro professor, que ouviu de outra pessoa numa palestra... Eu vivo isso há mais de vinte anos. Ninguém me contou. Tudo o que falei vale pra mim em primeiro lugar, pois nenhum resultado que conquistei foi mera casualidade.

Por trás de qualquer história de sucesso há uma história de coragem, determinação, superação, controle emocional, liderança e um domínio técnico que, embora também seja muito importante, definitivamente não ocupa um espaço tão relevante quanto o mercado lhe atribui.

É por isso que estou no projeto GV há mais de quatro anos falando muito mais sobre comportamento e mentalidade, pois, por experiência própria, sei que são esses os ingredientes que definem o destino de um profissional ou empreendedor. Já quanto às informações técnicas, o que não falta são lugares para você aprendê-las.

NÃO QUIS SER ÁGUIA E...

DOIS
SUPERPODERES
NECESSÁRIOS
PARA VENCER

Quando fui morador da periferia do Rio de Janeiro, convivi com toda sorte de contradições sociais, com a presença da criminalidade circulando pela vizinhança, serviços públicos precários e o descaso do poder público. Depois que eu percebi que a vida era mais do que jogar futebol na rua, soltar pipa e outras brincadeiras que fizeram parte da minha infância, precisei desenvolver alguns superpoderes que habitavam meu imaginário fazia muito tempo, para conseguir fazer a desafiante travessia entre a realidade em que eu vivia e uma outra muito melhor, cuja existência fui conhecendo pouco a pouco, ao mesmo tempo que passei a desejar fazer parte dela.

Se existia um lugar melhor, por que acreditar que ele não seria para mim? Foi justamente para lá que eu decidi ir. No entanto, o caminho longo e perigoso contaria com obstáculos que desafiariam meu brio, autoestima e perseverança. Além disso, me levaria a muitos questionamentos sobre o mundo que me foi apresentado e sobre até que ponto eu estaria realmente encarcerado dentro dele, como o sistema e as pessoas à minha volta tentavam me convencer todos os dias.

"Não! Eu tenho escolha e farei o que for necessário, dentro de todos os valores éticos que meus pais me ensinaram", pensei. Assim, tomei minha decisão de romper com aquela realidade em que vivia. Depois que começou minha peregrinação no sentido de mudar minha realidade, percebi que precisaria lutar com armas com as quais não estava acostumado.

Vamos, então, falar sobre essa travessia.

Como eu morava a mais de 60 quilômetros do centro da cidade, precisava passar quatro horas por dia em transportes públicos para ir e voltar do trabalho. "Tudo bem, vamos encarar", eu pensava. Quem mora na periferia dos grandes centros urbanos logo se acostuma com esse tipo de viagem e lida com isso com naturalidade. Essas quatro horas diárias significavam mais de mil horas por ano passadas dentro de ônibus ou trens, só para ir ao trabalho e voltar para casa. Considerando que o horário comercial tem a duração de 44 horas semanais, o tempo gasto com transporte significava quase seis meses de expediente.

Além desse tempo inacreditável, as condições da viagem eram um desafio à parte: com os assaltos, brigas, empurra-empurra, a necessidade frequente de viajar pendurado na porta, filas intermináveis que começavam antes mesmo de o sol dar as caras, às cinco da manhã, e o desconforto de fazer todo esse trajeto, na maioria das vezes, de pé.

O que estou falando é uma enorme brutalidade, porém faz parte da realidade diária de milhões de brasileiros nos grandes centros. Quando pessoas de fora do Brasil me pedem que conte detalhes de meus primeiros passos e eu falo sobre essa fase da minha vida , elas não conseguem acreditar. No entanto, para essa massa da periferia, é parte de sua rotina encarar com naturalidade esse sofrimento, algumas vezes até com muito bom humor. Afinal, para fazer a travessia é necessário vencer essa fase até ter condições de poder morar mais perto do trabalho.

De onde vem essa força? De um superpoder que esses seres humanos desenvolvem, uma espécie de resiliência sobrenatural que tem a função de mantê-los vivos no jogo da vida. São os os Nervos de Aço.

Eu lembro bem que, desde criança, quando assistia a desenhos animados sobre ficção científica, eu ficava fascinado com a ideia de poder desmaterializar meu próprio corpo e materializá-lo em outro lugar. Numa fração de segundos, por minha exclusiva decisão, eu poderia desaparecer e aparecer subitamente em outro lugar.

Só de pensar nisso, eu sentia uma inexplicável e verdadeira sensação de liberdade de ir e vir. Imagine poder desaparecer daquela aula chata de inglês na escola ou de alguma tarefa indesejada e aparecer onde eu quisesse.

Bem, vou contar um segredo a vocês: para vencer, é preciso ter o superpoder de se teletransportar. Quando encarei o desafio da travessia, não imaginava o quanto precisaria aprender a usar esse poder de que tanto gostava quando criança, ao assistir aos desenhos animados.

Ele deve ser usado em situações adversas, quando você deve se teletransportar para um lugar à frente do seu tempo. Isso mesmo. Não é um teletransporte convencional. É um poder de se mover através do tempo. Ou seja, é um domínio sobre a relação entre o tempo e o espaço.

Por exemplo: em meio ao caos de um transporte público, você pode, num estalo de dedos, se mover para outro lugar e para outro tempo. Eu, por exemplo, gostava de me teletransportar para o futuro, quando já teria conquistado meus objetivos e não estaria mais ali dentro. Isso me dava a certeza de que toda aquela adversidade era provisória. Era muito comum, dentro do ônibus, quando ainda estava escuro pela manhã, eu me olhar pelo reflexo da janela e fazer planos, imaginando o resultado que seria gerado pelos meus projetos.

O poder de se teletransportar nada mais é do que um exercício de fé, de acreditar naquilo que você ainda não vê, deixando de lado tudo o que está ao seu redor, usando aquele caos, por pior que ele seja, como uma motivação para superá-lo em vez de se entregar a um processo de autopiedade e lamentações.

Ao me teletransportar, enxergava o invisível e isso fazia com que eu me sentisse um visitante no caos. Eu estava ali, mas não era dali e passava a não pertencer mais àquele lugar ou condição, ainda que meu corpo estivesse alojado ali temporariamente. Eu pertencia a um outro lugar muito melhor, o que me fortalecia para passar por aquela situação provisória.

Construir a certeza de que a dificuldade é provisória só é possível para quem usa esse superpoder de se teletransportar.

Amigo, você tem esse poder. Use-o ou fique preso do outro lado sem poder fazer a travessia, pois, no meio desse longo caminho, não faltarão situações para que você seja engolido pelo buraco negro das impossibilidades e seja contagiado pelo negativismo daqueles que sucumbiram a todas as adversidades e já se conformaram que nada pode ser feito para mudar sua vida.

Sim, é possível atravessar e chegar do outro lado. Eu posso dizer uma coisa: vale a pena e sua família agradecerá.

NUNCA DEIXE
DE CUMPRIR SUA
PALAVRA

A lição número 1 para ser bem-sucedido na tarefa de liderar pessoas é *cumprir sua palavra*.

Numa equipe, quando um suposto líder troca um aperto de mão para fechar um acordo e, em seguida, além de não cumprir o combinado, fica constantemente mudando de ideia, ele acabará perdendo a confiança de seus liderados e nada o fará ter sua credibilidade de volta. Quando isso acontece, esse "líder" vira alvo de chacota nos corredores da companhia e tudo o que ele diz, até mesmo o que é verdade, passa a ser encarado com desconfiança.

Neste cenário, surge o típico zumbi corporativo, o boneco inflável que ocupa um cargo executivo e mais um burocrata fadado ao fracasso e ao descrédito. Sua equipe faz de conta que confia, faz de conta que segue seus conselhos, faz de conta que o admira e chega ao ponto até de fazer de conta que faz de conta. Um teatro improdutivo, repleto de mentiras e dissimulações.

Infelizmente, o mundo está cheio de gente e empresas deste tipo.

SUA
CONSCIÊNCIA
É A MELHOR
COMPANHIA
PARA O SEU
TRAVESSEIRO.

De repente, o que você chama
de fim pode ser um novo começo.

Agradeço a meus filhos e à Luciana pelo apoio sempre incondicional e por estarem ao meu lado em todos os momentos.

QUER SABER E SER MAIS?

Se você deseja receber materiais exclusivos
sobre esse livro, envie um email para
geracaodevalor@buzzeditora.com.br.

Além de fazer parte da comunidade dos leitores GV,
você terá exclusividade de acesso a alguns conteúdos.

INFORMAÇÕES SOBRE A BUZZ

facebook.com/buzzeditora

twitter.com/buzzeditora

instagram.com/buzzeditora

geracaodevalor@buzzeditora.com.br